13歳からのエネルギーを知る旅

エネルギー・エバンジェリスト　関口美奈

A JOURNEY TO KNOW THE WORLD OF ENERG

CHARACTER

中学１年生。“なでしこジャパン”に憧れるサッカー少女。部活はもちろんサッカー部。レギュラーを目指して毎日の自主練は欠かさない。お腹がすくと動きが鈍るので、エネルギーチャージに余念がない。野生動物の動きを見ると感動するので自然系の番組は必ず録画する。

中学１年生。理系が得意。モコ、ラミとは小学校の同級生。モコと同じ公立中学の生徒だが、わけあって不登校。現在は自室でコンピュータゲームやネットサーフィンをしている。調べ物が好きで、疑問が湧くと分かるまで粘り強く調べる。引き取った保護猫ポアロの世話をしている。

日本人の母とスペイン人の父を持つ、ラテン気質の陽気な女性。日本生まれの日本育ち。いろんな国の歴史や文化、暮らしを知りたいと、一年中、世界を旅している。ある日、河川敷でモコと出会い、エネルギー問題についてオンラインで対話を重ねることになる。

モコと小学校の同級生。親の転勤により九州の中学校に通っている。軽量リュックで行くウルトラライトハイキングが好きで、毎月、低山トレイルに出かける。隣町が集中豪雨の被害にあったのを見て、地球の気候変動問題に関心を持っている。愛犬はピレニーズ系の雑種のフラッフィ。

CONTENTS

対話5 人類の危機、地球温暖化を食い止めろ

プロローグ

エナジーとの出会い。エネルギーって何？

肌がチリチリするほど暑かった今年の夏。毎日うだるようだった夏休みもあっという間に終わって9月になり、2学期が始まったけれど、まだまだ暑さは残っている。今年の春、中学1年生になったモコは、なでしこジャパンが大好きで、部活もサッカー部に入った。

小学生の時からサッカーをやっていたけれど、中学生ともなると、練習も本格的になってくる。特に先輩たちと一緒に走ったり、プレーしたりすると、1年生はもうへとへとだ。おまけに後片付けもしなければいけない。だから、部活が終わって、夕方家に帰る頃には、もう1歩も前に進めないほど疲れている。

「あ、そうだ！」

モコは重い足取りを一瞬止めて、背負ったリュックを前側に持ち替え、リュックの中からトウモロコシを取り出した。北海道に住むおじいちゃんが送ってくれたトウモロコシの蒸したものを、ママが今朝、持たせてくれたのだ。

「モコ、あなた毎日部活でヘロヘロになって帰ってくるでしょ。家に着くまでにエネルギー切れにならないように、ほら、これリュックの中に入れときなさい」

モコのママは仕事を持っていて、帰りが遅いこともあるし出張も多い。けれど、モコや家族をとても愛している。モコの学校生活や部活のことも応援してくれている。だからこうやって蒸したトウモロコシを持たせてくれたりする。

「ママ、感謝！」

そう言うやいなや、モコは家とは違う方向に走り出した。今日、先輩に注意されたところを自主練しようと、近くの河川敷に向かったのだ。人気の少ない河川敷に着くと、モコはトウモロコシにかぶりついた。黄色い粒から甘くて美味しい汁が口いっぱいに広がる。

「うーん、生き返るわぁ」

歯に挟まった粒の皮を気にしながらも、モコはトウモロコシを一気に食べ終わった。

「エネルギーチャージ完了！」

トウモロコシの栄養がモコの体を動かすエネルギーとなって充満してきたのを感じ、ボールを蹴りたい衝動が抑えられなくなった。そして、ボールを地面に置いて助走距離を取り、蹴った。

「あ～っ！」

ボールはきれいな弧を描いて川の方まで飛んでいってしまった。

「あ、やば……」

後先考えずにボールを蹴ったことを後悔していると、後ろから女の人の声がした。

「ナイッシュー！　そうか、あなたのエネルギー源はトウモロコシなのね」

「ビックリした〜！」

振り向くと、そこにいたのは、日に焼けた肌に栗色でウエーブのかかった長い髪を風になびかせ、微笑む女の人。年の頃はママよりも上、でもおばあちゃんよりは若そう。日本人？　それともどこか別の国の人かもしれない、でも日本語だよね？

「腹が減っては戦ができませんから！　トウモロコシ1本で、とりあえず、くたくたになった体が、シュートを1本蹴れるぐらいのエネルギー補給かな」とモコ。

トウモロコシを食べたら、確かに元気になってきた。

「ところで、あなたはどなたですか？　悪い人じゃないとは思うんですけど、このご時世、知らない大人と気軽に話しちゃいけない、みたいなのがあって……」

「あ、ごめんごめん。自己紹介してなかったわね。私の名前はエナジー。母は日本人で、父はスペイン人。日本で生まれ育ったのよ。大人になってからはいろんな国の歴史や文化や、人々の暮らしを知りたくて、ほとんど一年中旅をしているの。今、たまたま日本にいて、夕日が沈んでいくのを見たくて河原に来てみたら、あなたがきれいなシュートを蹴るのに出くわしたってわけ」

「へぇ。じゃ、スペイン語もしゃべれたりする？」

モコは興味津々で聞いてみた。

「父は日本語もペラペラだったけど、私がスペイン語をしゃべれるようになった方がいいと考えて、私にはずっとスペイン語で話しかけていたの。だから、スペイン語もしゃべれるわ。それと英語も話せる。だから、アメリカ大陸やヨーロッパの人たちとのコミュニケーションにはほとんど困らないわ。そういえば、サッカーの久保建英は、スペイン語、ほとんどネイティブよね。大したもんだわ。ちなみにスペイン語では、サッカーはフットボール、キックはパターダよ」

スペインではサッカーはとても人気のスポーツなので、モコはエナジーと名乗るこの女の人に、なんとなく親近感のようなものを感じ始めた。

「で、あなたの名前は？」

「私はモコ。ほんとは智子なんだけど、みんなからモコって呼ばれてる。中学1年生でサッカー部なの。小学校の時からサッカーやってて。2学期には、3年生が引退して新しいチーム編成になるから、そこでのレギュラー入りを狙っているの。だから自主練」

「モコ。いい名前ね。モコって呼んでもいい？　私のこともエナジーって呼び捨てでいいわよ。会ったばかりとか、年の差とか、そういうこと、気にしないの。ところでモコ、あなたにエネルギーをくれたトウモロコシなんだけど、それって蒸してあったよね。どうやって蒸したのかしらね？」

「それは、ママが蒸し器でお湯を沸かして、かな？　それとも、時短でレンチンかもしれない」

「じゃ、蒸し器を使ったとして、蒸すためのお湯はどうやって沸かすの？」

「それはガス台の火を使ってだよ」

「じゃ、レンチンの場合は？」

「電子レンジはコンセントにつなぐプラグがあるから、電気？」

「そうね。正解。つまり、ガスや電気がなかったら、モコは蒸した美味しいトウモロコシからエネルギーチャージをすることはできなかったってことね」

「まぁ、そうだね。トウモロコシは生でも食べられなくはないけど、蒸した方が1000倍美味しいからね」

「美味しいっていうのは大事よね。そして、トウモロコシを美味しくするには、ガスや電気が必要だってことね。それ以外にも、モコの生活の中で普通に使ってるエネルギーって何かあるかしら？」

ん？　この人、いやにエネルギーにこだわるなぁ、と思いながら1日の流れを考えた。

「ええっと、朝起きて、ベッドから出て顔を洗って歯を磨くでしょ。トースターでパンを焼いて、あっ、トースターも電気で熱を発する！　冷蔵庫から牛乳を出して、あっ、冷蔵庫も電気で冷える。ママがガス台で目玉焼きを作ってくれる。ガスもエネルギーだ。テーブルに座ったらリモコンでテレビをつける。テレビも電気が必要。部屋の明かりも電気。まだ部屋の温度も高いからエアコンをつける。行ってきまーす、って玄関を出る」

　モコは一息ついて続けた。頭にはたくさんの絵が浮かんでいるようだ。

「それから……バスに乗る。バスはガソリンで動くんだよね。これもエネルギーだ。パパとママは会社に電車で行く。電車っていうぐらいだから電気で動いているんだよね。そうそう、スマホ。これも夜、寝ている間に充電しているから電気が必要。もう、切りがないよ！　あれもこれも、全部電気だの、ガスだの、ガソリンだので動いている。一体、エネルギーがなかったら私たちの生活ってどうなっちゃうの～！」


「エソ　エス！」

　唐突にエナジーが叫んだ。

「え？　それってスペイン語？」

　モコが不思議そうな顔で尋ねた。

「そう。その通り！って意味よ。私たちが普通の生活を送れなくなるばかりじゃなく、工場の機械だって動かなくなるし、デパートの電気もつかなくなるし、エレベーターやエスカレーターも動かなくなる。例えば、病院なんかでも、重い病気の人たちは、生命維持に必要な機械を使っていて、電気が途絶えたら命にかかわる問題よ。でも、そんなに大事な電気やガス、エネルギーのこと、私たちはどれくらい知っているかしら？」

　エナジーからこんな質問を投げかけられ、モコは九州に引っ越したラミから聞いた話を思い出した。ラミによれば、今年の夏の初めに集中豪雨に襲われ、隣町では川が氾濫して住宅が浸水し、電気も水も止まって、ものすごく大変なことになった、とのことだった。

「ねぇ、エナジー。私たちは毎日普通に暮らして、エネルギーがなかったら、結構大変なことになるのに、電気やガスが足りなくなるとか、使えなくなるとか、考えたことがなかった。スイッチをオンしたら電気がつくのは当たり前って、私も友達も、パパもママもおじいちゃんやおばあちゃんも、私の周りのほとんどの人はきっとそう思っている。でも、そうじゃないのね」

　不安になったモコはこわごわと隣にいるエナジーの顔を見上げた。風が吹いて、エナジーの長い髪がモコの頬をなでた。エナジーは優しく微笑んだ。

　そろそろ日が暮れて辺りも暗くなってきた。この会話が一体どこに行くのか、分からないまま、モコはポケットからスマホを出して、家に帰る時間を気にし始めた。その時、エナジーが言った。

「ねぇ、私と一緒に〝エネルギーを知る旅〟をしない？　もちろん、モコには学校も部活もあるから、モコを連れて旅に出ることはできないけれど、私が行くいろいろな場所からオンラインで対話をしない？　エネルギーの話は壮大で、エネルギーを知ることで、世界の国々のことや、歴史や文化、産業や経済、それに技術開発についても知ることができるわ。そして、そういうことが分かると、この国、日本をどうしていかなければならないのか、自分たちでちゃんと考えられるようになるわ」

エナジーはモコの頭をポンポンと軽くたたいた。

「うん、やってみる。また会えるの？　いつ？　どこで？」

「私はいろんなところに旅をしているから、またここで会えるとは限らないわ。だけど、今はオンラインっていう便利なツールがあるから大丈夫。これ、私のメアド。連絡ちょうだいね。あっ、それから、もしエネルギーに関心のありそうな友達がいたら、誘ってみて。一緒に考えてみない？って」

モコは、エナジーからもらったメアドが書いてある小さな紙切れを手に、あっけにとられていた。ハッと我に返ると、そこにはもうエナジーの姿はなかった。

家への道を歩きながら、なんだか妙なことに巻き込まれちゃったよ、とモコは思った。でも考えてみれば、私たちが意識していないガスや電気といったエネルギーは、私たちの生活のあらゆるところにあるのかもしれない。エネルギーがなくなったら……、いや、なくならなかったとしても、今までのように、いつでもどこでも使える状態じゃなくなったら困るんだろうな……。

「友達を誘ってもいいって言ってたよね。よ〜し。ラミとカイトを巻き込んじゃおう」

ラミもカイトも小学校時代にはよく一緒に遊んだ仲だ。でも、ラミは両親の仕事の都合で引っ越してしまって、今はあんまり話す機会がない。一緒にエネルギーを知る旅に誘えば、もっと頻繁にオンラインで話せるようになる。モコは少し嬉しくなった。

カイトはというと、同じ公立の中学に進学したが、学校が始まってしばらくしたら、何らかの事情で不登校になってしまった。理系が得意な、モコにとっては頼れるやつだったのに、今では自分の部屋で、カーテンを閉め切ったまま、日がな一日、コンピュータゲームやネットサーフィンをしているらしい。モコやラミとはたまにメールでやり取りをしていて、そこだけはかろうじてつながっている。カイトだったら、エネルギーのことにも興味があるかもしれないし、ラテン系のエナジーと話せるのはいいことかも。それにオンラインミーティングのやり方にも詳しいはずだ。

モコは家に着くと、そのまま2階の自分の部屋に突進し、スマホでラミとカイトにメールして今日の出来事を伝え、一緒にオンラインの〝エネルギーを知る旅〟に参加しよう、と誘った。この1通のメールが、とてつもなく大きな旅の始まりになる、なんてことは、この時のモコには全く知る由もなかった。

対話1

エネルギーはどんどん変化する

1 50万年前の火おこし

カイトが丁寧に教えてくれたおかげで、エナジーとの最初のオンラインミーティングの接続はいとも簡単だった。エナジーがメールで送ってくれたリンクをクリックすればいいのだ。エナジーから事前にメールで、今日の対話は、〝人類が火を使い始めてから今までのエネルギーの歴史を知る〟っていう壮大なテーマだと連絡があった。

初っぱなからぶっ飛んでいる。モコはワクワクと不安の混じった複雑な気持ちで、パソコンの前に座っていた。

モコから〝エネルギーを知る旅〟への誘いのメールをもらったカイトは、久しぶりに心に明かりが灯るのを感じた。それ、面白そうだな、と、小さくつぶやいた。

九州に引っ越して、モコやカイトと会えなくなってしまったラミは、モコからのメールに小躍りして喜んだ。というのも、集中豪雨が隣町に残した大きな爪痕を目の当たりにして、温暖化による気候変動の影響がとても気になっていたからだ。それに、停電の数日間をどんな思いで過ごしたかを同級生から聞いてもいた。エネルギーと密接にかかわりがあるらしい温暖化のことや、災害の時、どうしたら電気を確保することができるのか？ そんなことに関心が向いていた矢先の誘いだったのだ。

約束した時刻の5分前。モコ、ラミ、カイトがオンラインミーティングに参加して待っていると、エナジーは時間ギリギリに入ってきた。

「オラ〜チコス！　おーい、こんにちは、みんな。どう？　元気にしてる？」

エナジーが画面越しに大きな声で叫んだ。

モコは慌てて、エナジーにラミとカイトを紹介した。

「ラミ、カイト、よろしくね！　私はエナジーよ」

ラミはにっこり笑い、カイトはコクッと頭を下げた。

エナジーは静かな場所で机に向かって落ち着いて話している様子ではない。砂浜にいる？　どうやらそんな感じだ。おそらくスタンドにスマホを立てて、そばに置いているんだろう。エナジーの姿は、少し向こう側に見える。長い髪を後ろで1つに縛って砂浜にしゃがみ込み、ダラダラと汗をかきながら、懸命に細い棒をクルクルと両手で回している。

「火をね、おこしているのよ」と荒い息遣いで言いながら、カメラにちょっと目線を向けただけで、キュルキュルと何やら細い棒で板をこすり続けている。

すると、カイトが説明し始めた。

「エナジーさんは原始時代の方法で、火をおこそうとしているんだ。きりもみ式発火法だよ。火きり棒という細長い棒の先を火きり板の上でキュルキュルと回しながら、その摩擦熱で火をおこすんだ。火打石が登場するまで、火をおこすにはこの方法が使われていたと言われている」

理系でいろんなことを調べるのが好きなカイトは、やっぱり物知りだ。

「おお、カイト。私の代わりに解説、グラーシアス、ありがと。ふぅ」

エナジーはスマホに目もくれずにそう言うと、ひたすら棒を板にもみ込んでいる。

「火なんて、ガス台のつまみを回せばつくんだと思ってた！　なんだか大変そう」

「うん、この方法は、すごく大変で、うまくやらないと火がつかないし時間もかかる。成功の秘訣は、棒を回す時、素早く1回ずつもみおろすこと。そうすると熱のロスが少ないのよ」

本当に火をおこすことができるのかなぁ？とモコは半信半疑で、一心不乱に棒で板をこするエナジーを見ていた。すると、なんだか煙のようなものが画面の下の方から細く、長く、のぼってきた。

「火がついたんじゃない？　すごいすごい！」

「まだまだよ！　ここからが大事なところなの。この小さな火種をこっちの麻の繊維を丸めた火口（ほくち）に移すのよ。炎がたって、火が安定するまでは気が抜けないわ！」

エナジーは、煙が出始めた板の近くに丸めた麻の繊維を置いて、フーフーと息を吹きかけ続けた。1回、2回、3回、そして4回目の「フー」と同時に炎がたち始めた。火のついた麻を積み上げた枯れ枝の下に突っ込むと、小さかった火が枯れ枝に燃え移り、チリチリと音を立てて大きな焚火になった。

「はぁ、疲れた～。原始の火おこしはしんどいわ」

そう言うと、エナジーは水をごくごくと飲みほした。一息ついて、スマホカメラの近くまで歩いてきたエナジー。今日の対話が始まるようだ。

「火って、もともとは自然におこる現象だったの。高い気温や乾燥、まれには落雷による山火事みたいにね。でも50万年前頃から――火おこしの起源は諸説あるけど――人類は私がやったような方法で、火をおこし始めた。最初は薪を燃やして周囲を温めたり、狩りの獲物の肉を料理したりしていた、と言われているわ。それまでは食べ物に熱を加えることをしていなかったから、殺菌できなかったんだけど、火を使うようになってからは、安全に食べることができるようになったの」

「火を通した方が腐りにくくて保存もできるよね」

「そうよ、ラミ。それに熱を加えた肉は、生で食べるよりも消化しやすいの。火のおかげで食べ物から得られる栄養価も上がったし、胃腸への負担も減ったから、消化に使われていたエネルギーが脳の方に回るようになった、と言われているのよ。つまり、火を使うようになったことで、人類の脳は飛躍的に発達したというわけ」

「いきなり火おこしをしてたんで、ビックリしたよ。エナジー、お疲れさま。エネルギーチャージが必要だね。ところで、これって今日のテーマの〝エネルギーの歴史を知る〟、とどう関係があるの？」

　すると、カイトがすかさず言った。

「モコ、気づいてなかったの？　火は人類が初めて利用したエネルギーだよ。正確に言うと熱エネルギーだ。エネルギーにはいろんな種類があって、例えば風車に風を送ると羽根が回るのは〝運動エネルギー〟、手をこすり合わせると手のひらが熱くなるのは〝熱エネルギー〟、高いところでボールを離すと地面に向かって落ちていくのは〝位置エネルギー〟、朝になると明るくなるのは、太陽の光があたって照らされる〝太陽エネルギー〟、そして照明とか、電化製品を動かすのは〝電気エネルギー〟」

「へえ〜、エネルギーって性質によって言い方が違うんだね」

「うん。でも働きは同じ。エネルギーは何かを動かしたり、なんらかの仕事をする力のことなんだ。で、人類が最初に使うことができるようになったのが火。それだけじゃない。人類は火を発見して、それを利用することで過去50万年の間に飛躍的な文明の発展を遂げたんだよ」

「でも、カイト、50万年なんて長い時間をかけたら、なんだって発展するんじゃない？」

　カイトは右手を大きく左右に振った。

「それがさ、地球が誕生したのは46億年前なんだぜ。その長さに比べたら、50万年前なんて、つい、さっきさ。エナジーがやってみせてくれたような火をおこすところから始めて、電力や動力エネルギーを使う今の世の中になったってことは、結構すごいことなんだぜ」

と力説した。

2 燃え尽きたら何が残る？

「おお、カイト、さすがね。その通りよ。火は人類の暮らし方を大きく変えたの。そして人類は、火という道具を使って他のいろんな道具を作ったわ。土器を作って文明を起こし、また、高熱によって青銅や鉄を加工する技術を生み出した。それだけじゃないわ。すごく大変な思いをしておこした火を消さないように守っていくには、集団で生活する方が都合が良かったのよね。だから、みんなで協力して暮らす社会が形成されるようになった。火は、人類の歴史を大きく変えた最初のエネルギー革命と言えるのよ」

　モコとラミは両腕を組んで大きくうなずいた。カイトはまだ何か言いたそうだ。

「火の発見と同時に、人類は牛や馬を動力エネルギーとして、また、風力も水力も、そりゃ今よりはもっと全然小さかったけど、この時からもう使い始めていたんだ。自然に存在するエネルギーを活用して、楽に仕事をしながら、もっと多くの収穫が得られるように、どんどん工夫していったんだ」

と言い切ると、少し満足したようだった。

しかし、画面に映るエナジーの表情は少し複雑だ。両腕を前で組みながら言った。

「でもね、いいことだけじゃないの。それと同じぐらい大事で、衝撃的な事実があるのよ」

「え、何、なんなの？」

3人は声をそろえて身を乗り出した。

「これを見て」

エナジーはさっきまで勢いよく燃えていた焚火の方を指さした。焚火はそろそろ燃え尽きて、そこには黒い木炭が残っていた。

「枯れ木を燃やして、熱エネルギーを得た後、枯れ木は木炭になったわね。これがどういうことか、分かるかしら？」

エナジーが問いかけると、カイトが答えた。

「それって、**燃やしている時に、二酸化炭素が空気中に出た**ということですね」

少しの沈黙があり、最後の火のパチ……パチ……という音が次第にまばらになっていく。

「その通りよ。火を使うようになったこの時から、人類は二酸化炭素を排出し始めた、ということなの。何を燃やしてエネルギーをつくるかは時代によって変化してきたけれど、**人類は二酸化炭素を出しながら文明や社会を発展させてきたと言える。それが今の気候変動問題につながっているの**」

「二酸化炭素が増えすぎた影響で、温暖化になり、気候変動が始まったって……50万年前には想像もできなかったことよね」

「そうね、ラミ。火の発見から50万年経って、今、地球は危機的状態になっている。もっと言えば、人類の危機よ」

「火は人類の進化の切っかけになった便利ですごいやつなのに、同時に燃えるっていうことは二酸化炭素を出すっていう厄介な面もあるんだ。いいことの裏には必ず、あんまり良くないことがあるんだな。だからといって火やエネルギーを使わない生活なんて無理だし、一体どうすればいいんだろう……」

悶々とする3人に優しい眼差しを向けながら、エナジーの話は、前へと進んでいく。

3 蒸気機関、産業革命を起こす

「ねぇ、話は変わるけど、ディズニーの古い白黒のアニメ、知ってる？　ミッキーマウスが口笛を吹きながら蒸気船の舵を取っているやつ、見たことない？」

「見たことある、ある。なんだっけ、『蒸気船ウィリー』？　ディズニーの最初の頃のアニメだって、テレビで特集していた」とラミ。

「そう、それ。あの蒸気船の動力はなんだと思う？」

「蒸気の熱エネルギーを動力に変える蒸気機関ですね」

「正解！　18世紀に入ってイギリスの発明家ジェームズ・ワットが、先にニューコメンが発明した蒸気機関を改良して新たに発明した蒸気機関ね。その燃料として使われたのは木材ではなくて、石炭だったの。その頃のイギリスでは木材が足りなくなっていて、その代わりに石炭が豊富に採れたの。それで、**石炭を燃料とする蒸気機関**が、工場で機械を動かす動力源になり、蒸気機関車や蒸気船で広く使われるようになった。同じ頃、ドイツからイギリスに伝わって発達した**製鉄技術と蒸気機関のおかげで産業革命が起こったのよ。第1次産業革命ね**」

人類とエネルギーの変遷

46億年前
地球誕生

50万年前
火の発見

1700年代
石炭の採掘が盛んになる（イギリス）

1709年
イギリスで石炭を使った高炉ができる

1765年
石炭を燃料とした蒸気機関を発明
（イギリス、ジェームズ・ワット）

1812年
石炭を蒸し焼きした時にできるガスを
利用したガス会社ができる（イギリス）

1870年
石油事業を始める
（アメリカ、ロックフェラー）

1875年
石油事業を始める
（ロシア、ノーベル兄弟〈スウェーデン人〉）

1878年
白熱電球を発明
（イギリス、ジョゼフ・スワン）

1879年
スワンの電球を改良し普及させる
（アメリカ、トーマス・エジソン）

1882年
エジソン設立の「エジソン電気照明会社」が、
火力発電所を建設
事業所や家庭に電気を供給する

1883年
天然ガスのパイプラインが敷かれる
（アメリカ ペンシルベニア州）

1908年
T型フォード（自動車）の大量生産を開始
（アメリカ、ヘンリー・フォード）
大量生産による第2次産業革命が始まる
自動車の燃料はガソリン（石油）

1950年代
ソ連のガス産業始まる
オランダで天然ガス田発見

1965年
北海、ノルウェー、西シベリア、
アルジェリア等で天然ガス田発見

「産業革命が起こった裏には、蒸気機関という大きなエネルギーがあったというわけですね」

「そうだね。大量の石炭を使った、エネルギーの大量消費の時代が始まったわ。それと同時に、製造力も爆発的に向上したのよ」

エナジーはそう話しながら、石炭から大量の二酸化炭素が排出されていたことも忘れずに付け加えた。

4 電気を普及させた人は誰？

エナジーのいる砂浜は辺りが少し暗くなってきたようだ。焚火はもう消えてしまっていた。

「ねえ、エナジー。何か照明は持ってる？　エナジーの顔がよく見えないよ」

「あ、ごめん、ごめん。持ってるわ。今、つけるわね。オンライン用の美人ライトよ、どう？」

スペイン人とのハーフで彫りが深く、大きな目に長いまつ毛のエナジーは、美人ライトでもっときれいに見えた。

「エナジー、ばっちり。とってもきれいに映ってる」

「ムーチャス グラーシアス！ アリガ～ト！ あ、そうそう。モコ、この照明の電球なんだけど、最初に電球を発明したのは誰だっけ？」

「ちょっとぉ。それぐらい、私だって知ってるわ。エジソンよ、エ、ジ、ソ、ン」

「そう、トーマス・エジソン……と言いたいところなんだけど、実はエジソンより前にイギリスのジョゼフ・スワンが白熱電球を発明していたのよ。蒸気機関からだいたい110年後くらいにね。アメリカのエジソンはというと、スワンの電球を改良して普及させた。さらにエジソンは、火力発電所を建設し、家庭に電気を供給し始めたの。1900年代に入る頃には、電力が急速に普及していって、日本でも東京に初めて火力発電所ができたり、京都に初めて水力発電所が造られたりしたわ」

5 車好き13歳男子の話

「電力関連で言うとね、僕、工場での大量生産の始まりの話、聞いたことがあります」

カイトが、前のめりで言った。

「カイト、是非、モコやラミに詳しく教えてあげて」

「エッヘン」

咳払いをすると、カイトはおもむろに話し始めた。

「ヘンリー・フォードって知ってる？　T型フォードっていう車を作った人さ。ちょうどエジソンが電球を改良して、会社を作った頃、フォードはエジソンの会社に入ったんだ。エジソン電気照明会社で働きながら、自動車の内燃機関を作ろうと実験を続けて、その結果、四輪車（自動車）を作り上げたんだ。この時はまだ、大量生産なんてできなかった。

その後、自分の会社を作ったフォードは、四輪車の性能をアピールするために、さまざまな自動車レースに出場したんだ。すると、フォードの車は優秀な成績をおさめて、とても人気が出た。注文がたくさん来た（需要）けど、車の製造（供給）が追いつかない。そこでフォードは、電動のベルトコンベアで製造ラインを作り、作業員は1カ所にとどまって同じ部分の作業を繰り返すっていう、今で言う〝流れ作業〟みたいな方法を考えた。これが第2次産業革命だよ。これによって時間は節約できるし、作業の質も上がった。さらに、競争相手よりも安い価格で品質のいい車を提供できるようになったんだ」

「カイト！　すごいわぁ。どこで仕入れたの？　その知識」

「車好きの13歳男子ならだいたい知ってますよ。この話は有名です。T型フォードっていうのは、自動車の初期、アメリカで爆発的に人気があった車で、一時はアメリカの人々が乗っていた車の半分はT型フォードだったって話ですよ」

「低価格で品質が安定したT型フォードが普及したことで、アメリカでは自動車が爆発的に普及したわけね。ということは、当然、車を動かす動力エネルギーが必要になってくるわよね」

エナジーの話は、いよいよ実践的になってきた。

6 石油が主役に躍りでた

「ねぇ、みんなのおうちに車はある？」

3人は声をそろえて言った。

「うん、あるよ！」

「それって、何で走るの？　燃料には何を使っているか、知ってる？」

「ガソリーン！」とラミ。

「そう。ガソリン。自動車の燃料にはガソリンが使われる。じゃあ、暖房器具のストーブの燃料は何？」

「灯油！　北海道のおじいちゃんちには大きいストーブがあって、灯油を入れてた。ストーブ1台で家中がすごく暖かくなるのでビックリしたよ」と、モコ。

「ふむふむ。では、発電機の燃料は?」

今度はカイトの番だ。

「発電機の燃料は、ガソリン、軽油、カセットボンベ(LPガス。液化石油ガス)などですね」

「おー、詳しいね。ではカイト、工場の機械の燃料は?」

「うーん、機械や用途によっていろいろだから絞るのは難しい。重油、ガソリン、灯油などかな」

その時、カイトの部屋のカーテンの隙間から、上空を飛ぶ飛行機の影が見えた。

「あ、飛行機の燃料はケロシン(純度の高い灯油)です!」

「カイト。さすがだわ。今、3人が言ってくれた燃料は元はと言えば、**ぜーんぶ〝原油(石油)〟**なの。地中に埋まっている原油を精製すると、沸点の違いで軽油や重油、灯油、ガソリンなどに分かれるのよ」

「エナジー、私、質問があります」

「はい、どうぞ」

「えっと、最初にフォードさんが作った自動車の動力はなんだったの? 最初からガソリンで走る車だったの?」

「ラミ、いい質問です!」

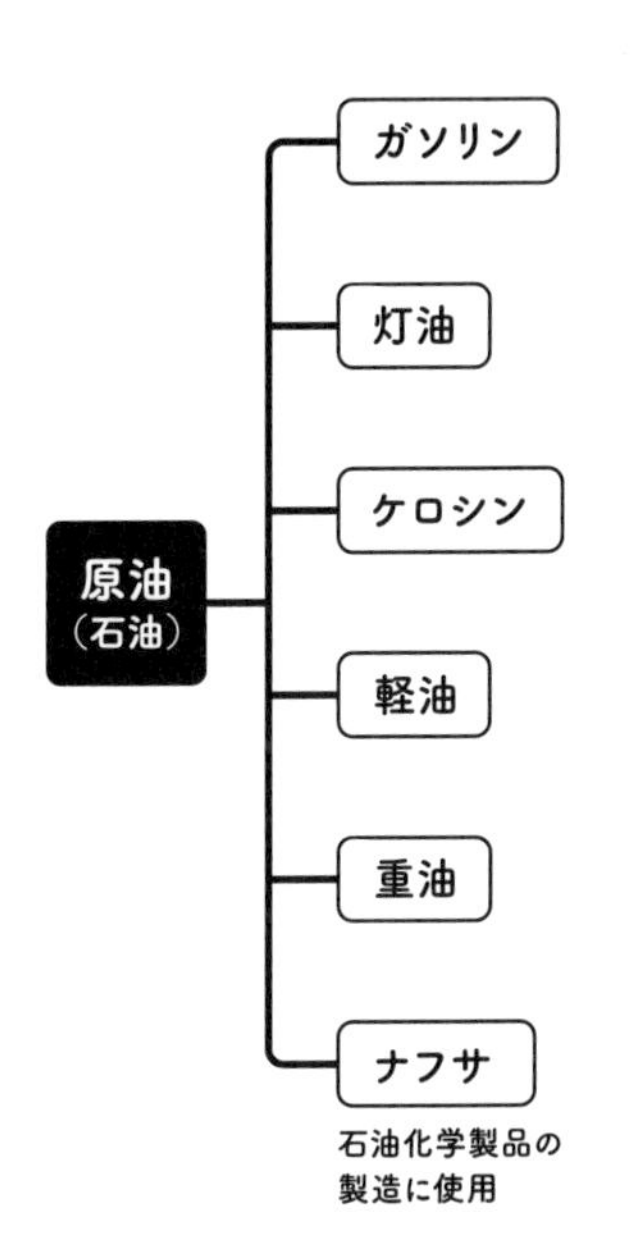

ラミに拍手を送るエナジー。

「実はフォードがT型を開発する前に、ドイツでも自動車が作られていたの。その頃の主流は蒸気自動車だった。でも、フォードが作ったT型フォードはガソリン車だったの。19世紀の中頃、アメリカで新しい石油採掘方式が開発されて、石油の大量生産が可能になったからよ。さらに、その方法を使って、中東やアフリカでも相次いで大油田が発見されて、石油が大量に採れるようになると、大量に安く供給されるようになったの。さっき学んだように、ガソリンの元は石油よね。

自動車の動力エネルギーとして石油を使うことでエンジンを小さくできて、自動車の中のスペースを広く使えるようにすることができたし、出力を増やすことも調整することも可能になった。それで自動車の燃料として石油、つまりガソリンが主流になっていったってわけ」

「そうなんだ。よく分かったわ、エナジー、ありがとう」

ラミは、ガソリン車の起源を知って嬉しくなった。疑問が1つ解消されると、目の前のドアが1つ開いていくようでワクワクする。エナジーは、フォードについて重ねて言った。

「彼の功績は、ガソリン車の大量生産に成功して、自動車をアメリカの大衆に広めたことね。まぁ、今となっては、ガソリン車を広めたことを功績と言ってもいいのか?っていうのは難しいところだけど。というのも、ガソリンを燃やすと、二酸化炭素や窒素化合物など大気汚染を引き起こす排気ガスが出るから。日本でも排気ガスによる健康被害が問題になったことがあるのよ」

ガソリン車が公害を引き起こしたという話を聞きながら、モコは感慨深そうに言った。

「自動車のおかげで助かる人もたくさんいるし、便利になることもたくさんあるけど、どんなことでも進化の過程では、予想もしないことが起こるんだね……」

「その通りね、モコ。失敗を繰り返しながらも、そこから学んで、より良い未来を築いていくのが人間の役割かもしれないね」

7 三種の神器、知ってる？

「ところで、石油は自動車の燃料としてだけでなく、発電所の大きな発電機を回す動力としても使われたの。今はもう発電のために石油はあんまり使われてないんだけどね。さて、発電機の動力として使われた石油はやがて電気に取って代わられるんだけど、その頃……って言っても分かんないね。1950年代初めの頃よ。日本人誰もが憧れた家電がなんだか知ってる？ もし分からなかったら、お父さんやお母さんに聞いてもいいわ。ネットで調べてもいいわよ。10分あげるから、調査開始！」

と言うやいなや、エナジーの画面が真っ黒になった。

そしてちょうど10分後にエナジーの姿が再び画面に現れた。

「ははは、みんなが調査している間に、ちょっとおやつ食べてた！ 実は今日、朝からなんにも食べてなくて、もう腹ペコで。テンゴ　ムウチョ　アンブレ！」

そしてスマホの前にドカンと腰を下ろし、両手でカモンという仕草をした。

「さ、どう？　答えをゲットできたかしら？」

ネット検索が得意なカイトが、まず口火を切った。

「それでは、まず僕から。僕の調査によれば、それらは当時、一般に〝三種の神器〟と言われていた3種類の家電です。1つ目は、冷蔵庫」

次にモコが手を挙げた。

「私が言う！　2つ目は、洗濯機」

「3つ目は私！　テレビ！　でも白黒で、うちにあるパネル型のじゃなくて、えっと……」

調子よく答え始めたラミだが、昔のテレビの名前でつまずいてしまった。するとカイトが助け船を出した。

「ブラウン管、かな……」

「そう、それそれ。なんだか、ゴッツイやつ」

ラミがカイトにいいところを持っていかれまいとばかりに付け加えた。

「そう。3人とも正解！よく分かったわね。えらいえらい！　石油を使って火力発電所などで効率よく電力がつくれるようになったのと同時に、工場での大量生産もできるようになって、経済はどんどん発展していったの。すると、お父さんの給料もどんどん上がっていって、物もたくさん買えるようになった。そこで、みんながこぞって買ったのが、この三種の神器。

1960年代に入ると、1964年の東京オリンピックに備えて新幹線が開通した。あっ、新幹線も電気で走る。その電気は元は石油を利用してたってことね。こうして、**石油の始まりとともに電気の需要も増え、そして経済は急激に発展したのよ。この時代の日本は〝高度経済成長期〟と呼ばれているわ。**そして、その高度経済成長期があって、今の私たちがいるのよ」

8 13歳の役割

「さぁ、〝エネルギーの歴史を知る旅〟もそろそろ終わりに近づいてきたわ。今日の旅は、まるでタイムマシーンだったわね」

「ほんと。50万年前の火おこしから始まって、石炭を使った蒸気機関ができて、工場の機械を蒸気機関で動かして、フォードが大量生産のためのベルトコンベアを電気で動かして、自動車が普及してガソリンがたくさん使われるようになって、大量生産ができるようになると経済が発展して、さらに電化製品も増えて……。人類の発展は、エネルギーの発展に支えられているってことなんだね」とモコ。

「エネルギーが私たちの生活や経済の発展に、とても重要なのは分かったわ。だけど、今のエネルギー、特に石油や石炭を燃やすと二酸化炭素が出て、それが地球の気候変動や温暖化の原因になっているって学校で勉強したわ。これからもエネルギーは必要なのに、今までのように石油や石炭を使い続けると、100年後や200年後の地球は、日本はどうなっちゃうのかしら？　とても心配。だって、私が住んでいる地域の集中豪雨も、気候変動の影響だって言ってたから」

「僕たちは今、将来の地球環境を守るための重要な分かれ道にいると思う。エネルギーをこれまでのように使い続けるのか？　そうじゃなくて、新しい方法を考えて、発展もするけど地球も守る道を探るのか？　そういうことなんじゃないかな？」

エナジーの顔は、もう画面からはみ出しそうなほど、どアップになっている。

「カイト。その通りだよ。新しいエネルギーの在り方を完成させて、まだ見ぬ未来をつくっていくのは、もう私たちじゃなくて、今、13歳の君たちだってこと。そして、その子供たちであり、孫たちなんだよ。もちろん、今そんなことを言われても困るだろうけど、私たち人類は長い長い時間の旅の中でバトンをつなぎ、それぞれの世代が1歩ずつ進化しているんだ。だから、大事なことは、人類が来た道から学び、そしてこれから行く先を自ら創造することなんだと私は思う」

「ねぇ、エナジー。僕たち、もっと知りたいよ、エネルギーのこと。でも何から手をつければいいのか分からない」

するとエナジーは、明るく、あっけらかんとした調子で言ったのだ。

「あ、それね。ダイジョウブ。私がちゃんと考えてるから！　次回の対話は、〝エネルギーと世界について〟ね。日程と接続リンクはまたメールするね。じゃ、今日はこれまで。グラーシアス　イ　アスタ　ルエゴ！　ありがとう、まったねー！」

そう言うと、エナジーの画面は真っ黒になった。後に残された3人も、それぞれの空間に戻っていった。

今日の対話は、明らかに3人の中に変化を起こしていた。それぞれの〝エネルギーを知る旅〟が始まっていた。

対話1　まとめ

・人間が最初に手にしたエネルギーは熱エネルギー、つまり火だった。エネルギーとは、何かを動かしたり、なんらかの仕事をする力のことを言う。

・人類は火を発見し、利用することで飛躍的な文明の発展を遂げた。しかし同時に、その時から二酸化炭素を排出し始め、50万年経った今、地球は危機的状態になっている。

・18世紀に発明された、石炭を燃料とする蒸気機関が第1次産業革命の切っかけとなった。

・19世紀の終わり頃、エジソンが電球を改良し、20世紀の初めには、電力が急速に普及していった。

・T型フォードで有名なヘンリー・フォードが、電動のベルトコンベアで製造ラインを作り、車製造を飛躍的に効率化させたのが、第2次産業革命の始まりとなった。

・車の燃料（ガソリン）、飛行機の燃料（ケロシン）、暖房用ストーブの燃料（灯油）、その他、発電機や工業用機械の燃料、これらは全て原油（石油）からできている。石油を使って効率よく電力がつくれるようになり、電気の需要も増え、そして経済は急激に発展した。日本のこの時代は〝高度経済成長期〟と呼ばれる。

・人類はエネルギーに支えられて発展してきた。地球温暖化への取り組みの中で、エネルギーの在り方は、これからも変化することが求められている。

対話2

エネルギー資源のある ラッキーな国々

1 砂漠の国から

3人がそれぞれ自分の部屋からオンラインに接続したのは、約束の時刻の3分ほど前だっただろうか。前回遅れて入ってきたエナジーの画面はすでにオープンになっている。しかし、映っているのは遠くに沈んでいく夕日と、果てしなく広がる砂漠。次第に空は赤く染まり、吹く風の軌跡が砂の上に波のように残っている。一面に広がる砂漠はどことも知れぬ異国へと誘うかのようだ。

3人は今、自分たちがどこにいるのかも分からなくなった。その時、あの声が響いた。

「オラ〜チコス！　コモ　エスタイス？　みんな、調子はどう？」

エナジーだ。でも、姿が見えない。

「こっち、こっち」

エナジーの声のありかを探すと、画面の右側から現れたのは、1頭のラクダ。夕日を背にしているのでシルエットしか見えないけれど、ラクダはゆったりとのんびりと、しかし、しっかりと目的地を見定めて歩を進めている。

その背中に座って手を振っている人がいる。どうやら声はそこから聞こえているようだ。

きっとまた、今日の登場の仕方を懸命に考えたに違いない。スマホスタンドを事前に立てておいて、自分は小型のワイヤレスマイクまでつけて、ラクダにまたがって登場なんて！

「おーい、エナジー！　僕たちはいつも通り、まぁ、なんとかやっています。ところで、そこは一体どこ？」

今日は、カイトが口火を切った。

「どう？　この景色。すてきでしょ？　気に入った？」

エナジーは相変わらず陽気だ。

「私は今、アラブ首長国連邦のドバイから車で1時間半ぐらいのところの〝デザートサファリ〟に来ているの。みんなに、この広大な砂漠に沈む夕日と、さっそうとラクダに乗ってる私を見せたかったの！」

「エナジー、とってもすてき。私もそこに行ってみたい。だけど、ラクダに乗ったまま、対話をするのは難しくない？」

ラミが心配そうに言う。

「そうなのよ。だからね、ほら、見える？　砂漠のど真ん中だけど、カフェがあるの。あそこからもう1回接続し直すから、ちょっと待っててくれる？」

そう言うと、いきなり画面が黒くなった。

10分もすると、エナジーの画面は再びオンになった。今日の対話が始まるようだ。

砂漠といってもさすが裕福な都市、ドバイ。白いインテリアに囲まれたカフェの中はエアコンもばっちり効いているようで、エナジーは居心地良さそうに大きめのソファに腰をかけ、足を組んで話し始めた。

「さて、今日は〝さまざまな国に存在するエネルギー資源を巡る旅〟をしたいと思うんだけど、いいかしら？」

「オッケー！」と、3人。

2 化石燃料の「化石」って何？

「じゃあ、まずこの質問から。石油、石炭、天然ガスって、化石燃料って呼ばれるでしょ。それって、なんで？」

この質問の仕方を聞いたモコの頭の中に浮かんだのは、あの頭の大きい、ピンクのワンピースでハイソックス姿の永遠の5歳の女の子だ。答えられないと、ボーっと生きてんじゃねーよ！って言われそうだ。困ったなぁ……そうモコが思っていると、カイトがモコとラミの顔色をうかがいながら聞いた。

「僕、たぶん分かると思う。答えてもいいかな？」

「カイト、お願い！」両手を合わせるラミとモコ。

「博物館に行くとアンモナイトや恐竜の化石が展示されていますが、化石燃料の〝化石〟は、その化石と同じところからきています。もともと数百万年以上も前に生きていた植物や生物、プランクトンの死骸が海底にたまって、微生物によって分解され、その後何十年も何百年も、土や水の強い力で上から押さえつけられた。その結果、地中で発生する地熱で温められているうちに燃えやすい成分に変化したんです。膨大な時間の末に、**植物は石炭になり、生物やプランクトンの死骸は石油や天然ガスになった。恐竜の化石と同じ過程をたどっているから、〝化石燃料〟と呼ぶ**んです」

カイトの説明にモコとラミは感心し、ノートをとり始めた。カイトがさらに続けた。

「もう1つ大事なことがあります。この化石燃料は、有機化合物といって炭素（C）を主成分とするものです。だから火をつけると燃える。燃えるってことは、周りにある酸素（O2）と結合するってこと。炭素と空気中の酸素が結合すると、二酸化炭素（CO2）ができてしまう。ちなみに僕たち人間の体だって、動物や恐竜の体と同じ。だいたい3分の2が水や酸素でできていて、残りの筋肉や脂肪や骨の重さの半分が炭素でできている。だから人間の体だって燃えたら二酸化炭素が出ます」

化石燃料の種類

石炭（植物）

石油（生物やプランクトンの死骸）

天然ガス（植物、生物やプランクトンの死骸）

メタンハイドレート（天然ガスの主成分メタンガス）

「カイト、ありがとう。その通りよ。ねぇ、人間が火を使い始めてから、地球上の二酸化炭素が増え始めたって話したのを覚えてる？　産業革命の頃から、さらに石炭や石油を使い始めて、急激に二酸化炭素の排出が増えていったの。そして、それが今の気候変動につながっていると言われているのよね。私たちは今日まで、二酸化炭素を排出してきてしまったかもしれない。でも、これからは、未来の世界を作るために、今の地球環境を良くするために、どうすればいいのか考えていくのよ」

「どうやって？」

モコとラミは声をそろえて言った。

「そのためには、たくさんのことを知らなければならないわね！」

エナジーのやんちゃっぽい顔が、画面いっぱいに広がっていた。

3 日本は世界の真ん中？ それとも端っこ？

「みんなに送ったメールに添付したデータ、印刷してくれた？」

3人はうなずいた。

「うん。2枚の白地図。ほら。印刷したよ」

モコは異なる図柄の白地図を画面に映した。

日本中心の世界地図

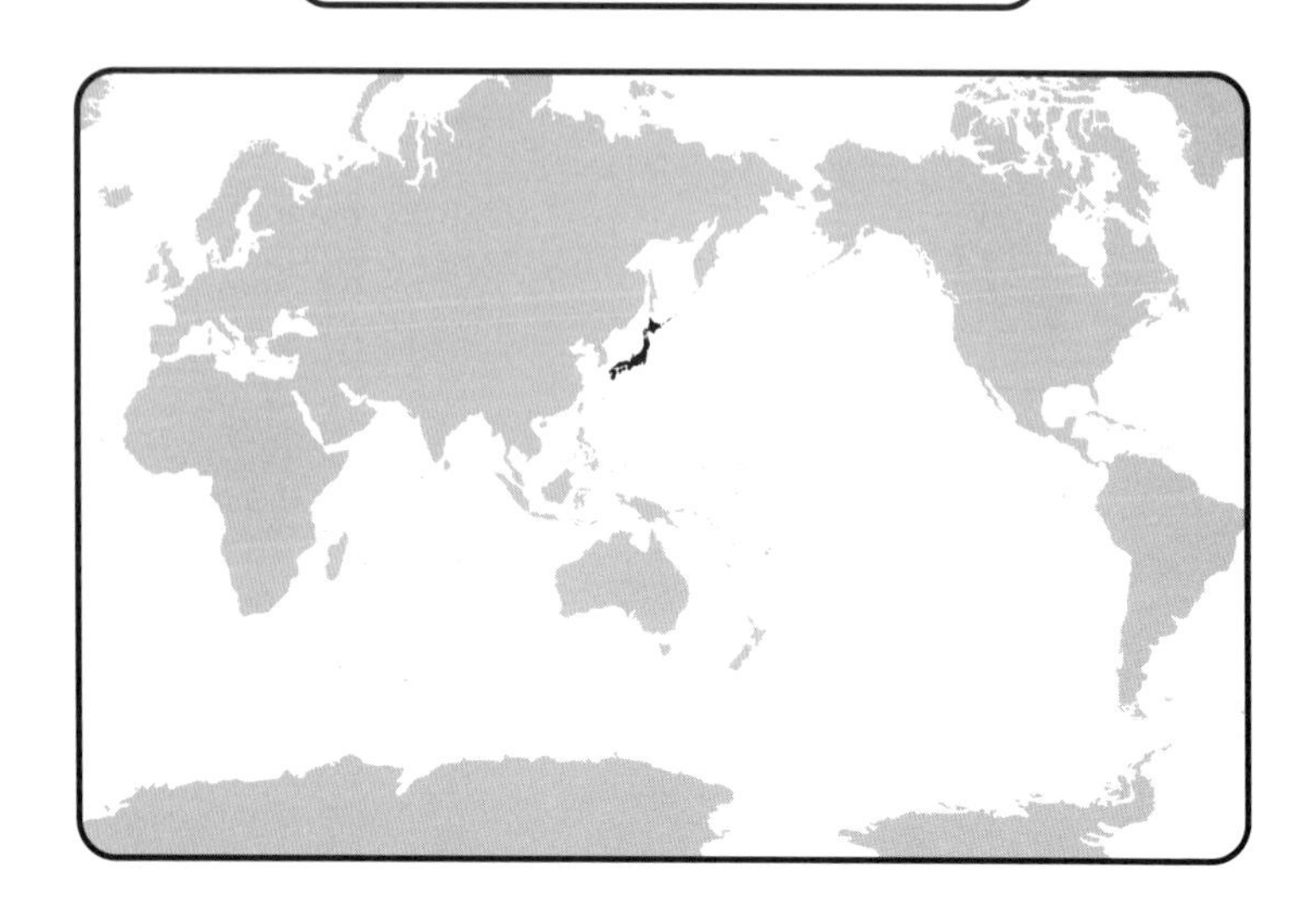

ヨーロッパ中心の世界地図

「それそれ。ねぇ、1枚はいつもみんなが使ってる地図と一緒でしょ。真ん中にドッカンと大きい太平洋があって、右側にアメリカ大陸。左側にユーラシア大陸。そして、ほぼ真ん中ぐらいに日本がある。ではもう1つの地図はどう？」

ラミが眉間（みけん）にしわを寄せながら言う。

「なんかいつも見てるのと違う。えーっと、日本は……」

するとカイトが、白地図の右端を指さした。

「ここだよ。ここ。この端っこの島国が日本さ」

「多分、日本人以外のほとんどの人が認識している世界は、日本が右の端っこにある方。日本って、別名〝極東（きょくとう）〟よ。英語だとFar East（ファー イースト）、つまり、東のずーっと向こうの国ってこと」

モコとラミにとっては衝撃だった。ほんの少し視点を変えただけで、違う世界みたいに見える……。戸惑う2人にエナジーは優しい声で語りかけた。

「ノープロブレム！　これから、まずはどんな資源がどこにあるか、その場所を、日本中心の白地図にマークを付けながら整理していこう。そうやっていくうちに、日本の地理的な位置や、それによるメリットやデメリットも見えてくる。地図と仲良くなると、世界と日本の関係がよく見えるようになるわ」

そして、おもむろにペンを取り出した。

「さぁ。これから出てくる国にマークを書き込んでいくわよ。バモース！　始めよう！」

エネルギー資源のある国々

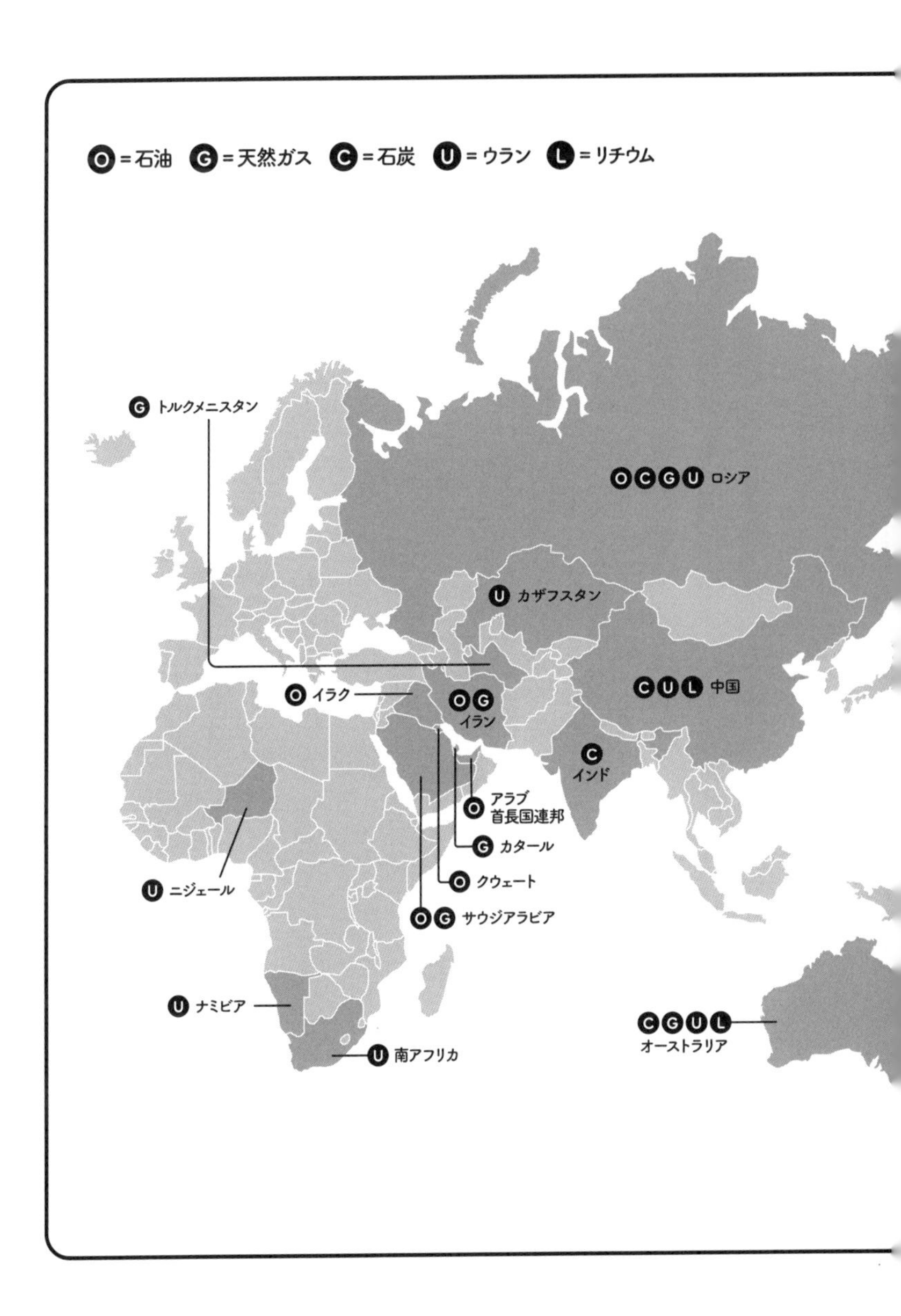
O =石油 G =天然ガス C =石炭 U =ウラン L =リチウム
G トルクメニスタン
O C G U ロシア
U カザフスタン
C U L 中国
O イラク
O G イラン
C インド
O アラブ首長国連邦
G カタール
O クウェート
O G サウジアラビア
U ニジェール
U ナミビア
U 南アフリカ
C G U L オーストラリア

4 石油はどこにある？

「まず初めに石油（〇ミ）。石油資源のある国には、〇と書いてね」

エナジーは大きな世界地図を画面共有した。

「さて、今、私がいるアラブ首長国連邦は、ここね」

エナジーはアラビア半島のペルシャ湾がアラビア海とつながる辺りにカーソルの矢印を置いた。

「このアラブ首長国連邦を含む、中東と呼ばれる地域には石油の埋蔵が確認されている国が多い。中東全体で世界の石油埋蔵量の48％強【＊1】が確認されているわ。上位から、サウジアラビア（17％強）やイラン（9％強）、イラク（8％強）、クウェート（6％弱）、そして、アラブ首長国連邦（5・6％）、その他の中東の国（2％強）という構成よ。確認されている埋蔵量は世界全体で1兆7324億バレルらしいわ」

するとカイトが言った。

「石油といえば中東っていうイメージが強いです。オイルマネーで潤っていて、お金持ちが多い国っていうのが僕のイメージ」

「そうね。特に一時、世界中の話題になったドバイの超高層ビル、ブルジュ・ハリファは国の裕福さの象徴のようだったものね。でもね、石油が地中にあるっていうだけじゃ、国も人も潤わないわね。どうして中東はオイルマネーで潤っているのかしら？　ちょっと考えてみて」

カイトが推理し始めた。

「まず、地中に埋まっている石油（原油）を採掘することが先決ですよね。採掘した原油をお金に換えるにはどうすればいいのか……」

エナジーは、原油が製品になるまでのプロセスを説明した。

「**原油を〝精製〟というプロセスで加熱すると、原油に含まれるさまざまな成分が異なる温度で沸騰するの。この沸点の差を利用して成分別に分離する作業、これを精製と呼ぶ**のよ。この精製を行うことによって、原油から、石油やガソリンをはじめ、さまざまな石油製品ができるってわけ。これは前にも話したことよ（p37図）」

「そうか。それらを必要としている国々に売ることで、中東の国や人々はお金を得ているんですね。中東の国々は、石油や石油製品の原料を地中にたくさん持っている！」

「まぁ、簡単に言うと、そういうこと」

エナジーの言葉に間髪（かんはつ）入れずに、モコが言った。

「でもそれって究極にラッキーじゃない？　中東の国や人たち。私たち日本人は、地面を掘ったってお金になりそうな資源なんてなんにも出てこない。なんか不公平だな」

ブスッとしたモコの顔をのぞき込みながら、エナジーが静かに言った。

「うん、そうだよね。石油や天然ガス、石炭の他にも、価値ある資源は世界のあちらこちらに点在している。でも、資源がある国が絶対的に幸せかどうかは分からないわ。資源のない私たち日本のような国が絶対的に不幸ってわけでもない。ただ、ある国にはある国の、ない国にはない国のさまざまな課題がある。人々が幸せに生きていくために、どうすればいいかを考えるのが、それぞれの国の政府の役割なのよ」

3人は、ハッとした。それは、**地球上にある国それぞれに、異なる種類の資源があったり、なかったりすることによって、豊かで幸せに暮らすためにしなければならないことが違うっていうことだ**。それぞれ異なる課題がある。その世界の現実に、13歳が初めて気がついた瞬間だった。

次にエナジーが世界地図の上で指さしたのは、アメリカ大陸だ。まず、南アメリカ大陸の一番上にある国にカーソルを置きながら説明した。

「この国はベネズエラ。2020年末時点では、確認できる石油の埋蔵量は3038億バレルで、これは世界全体の17・5％に相当するわ。つまり、サウジアラビアよりも多いってこと。でもね、確認埋蔵量は世界で一番なんだけど、それを採掘して、石油や石油製品にしている量はとっても少ないの」

3人はキョトンとした。ラミが手を挙げた。

「なぜ？ なぜベネズエラは、中東の国々のように石油を売ってお金を手に入れないの？」

エナジーは、両腕を組みながら、ゆっくりと答えた。

「石油を掘って使えるように精製したり、石油製品にしたり、海外に輸出するためには、とてもお金がかかるわ。採掘にはたくさんの機械や人を使うし、出荷にはタンカーという大きな船が必要だしね。そのお金は、その国の政府系の石油会社や他の国の巨大な石油会社が投資をして、多くの施設を建設し、運営するものなのよ」

「投資をした分、増えて戻ってくるんでしょう？」とラミ。

「そうね。だといいんだけれど。実はベネズエラの政治や経済はとても不安定で、海外からの投資が不足しているの。投資をする側からすると、投資先の国の政治や経済が安定してないと不安よね。だから、地中に埋蔵されている石油がたくさんあっても、輸出するだけの施設や仕組みが整えられないの」

「そうか。石油が地中に埋まってるだけじゃダメなんだね」

モコがうなずきながら言った。

「でもアメリカ大陸には、ベネズエラの他にも石油の埋蔵が確認されている国があるわ」

エナジーは、カーソルを南アメリカ大陸からスーッと上に動かした。矢印は大きな国で止まった。

「アメリカ合衆国と国境を接しているこの国はカナダよ。カナダには世界の石油埋蔵量の10%弱が確認されているの」

エナジーはそのカーソルを少し下におろした。

「そして、ここがアメリカ合衆国。ここに確認されているのは4%。つまり、ベネズエラ、カナダ、アメリカ合衆国と、その他の国も含めて、石油埋蔵量の33%弱がこのアメリカ大陸にあるってことね」

「ええと、中東で48%、アメリカ大陸で33%ぐらいだから、合計で81%ですね。残りは約19%かぁ。そういえば、まだロシアが出てきてないです」

「ピンポーン！　次に埋蔵量の多い国はロシアで、世界全体の6%強。その他はアフリカの国々や中国、そしてアジア・オセアニアで確認されている埋蔵量が合わせて13%ぐらいね。石油埋蔵が確認されている国は、ざっとそんなところよ」

「ふーん。ざっくり地域的に言うと、中東、アメリカ大陸。そして、石油を採掘して製品にしているっていう意味では、主にカナダとアメリカ合衆国。そしてロシアがあって、あとはチョイチョイって感じ？」

モコは自分が理解したことをまとめてみた。

「いいわよぉ。モコ。よくできました！　こういうのはね、必要な時に細かいことを調べるのも大事なんだけど、まずは大枠でつかんで頭の中に入れちゃうのがとっても有効。だから、今ぐらいのざっくりで十分よ」

なんともエナジーらしい褒め言葉。モコはちょっと嬉しそうだ。

「今日はあと、石炭と天然ガス、そしてウランとリチウムを知る旅もしたいんだけど、大丈夫かしら？」

「うん、大丈夫よ。なんだか、地球上をあっちこっち飛び回っているような感じで目が回りそうだけど、でも面白い！」

「まぁ、そうはいっても、ここらでちょっと休憩しようか」

「イエース！　私たち、エネルギーチャージが必要でーす！」

5 天然ガスはどこにある？

10分後、対話が再開した。

「次は天然ガス（Natural Gas）ね。石油はある特定の地域に集中して存在していたわよね。それに比べて、天然ガスは、世界中、かなり広範囲に存在するの【＊2】。イランを除く中東諸国の中で一番埋蔵量が多いのは、カタールという国よ」

そう言いながらエナジーは、カーソルをアラブ首長国連邦の湾岸沿いにゆっくりと左に動かした。そして、サウジアラビアに入った辺りにある、ペルシャ湾に飛び出た小さな突起のような国で止めた。カタールだ。

「さぁ、天然ガスの埋蔵がある国にはGと書いてね。世界中の天然ガスの総埋蔵量は188兆立方メートルで、そのうちの13％強がこのカタールにあるわ。サウジアラビアにも3％強、その他イランを除く中東の国に合わせて7％弱あるから、それらを合計するとだいたい23％強の天然ガスがあるってことね」

「でも、天然ガスの埋蔵量が一番多いのは、ここよ」

エナジーは、地図上のカーソルを大きく右上に動かした。

「この国は？」

「ロシアだ！」

「ロシア！」

「ロシアよ！」

「そう。ロシアね。この広大な大地の下に、世界の天然ガス埋蔵量の約20％が埋まっているの。次に多いのは、イランで17％強。アジア・オセアニアには9％弱の埋蔵量があるけれど、そのほとんどはオーストラリアよ。そして、カナダとアメリカ合衆国を合わせた北米に約8％、中央アジアのトルクメニスタンに7％強、その他、アフリカに7％弱、ヨーロッパ全体で5％弱、石油の時にも出ていたベネズエラを含む中南米に4％強ほどの埋蔵量があるの」

「石油に比べて、天然ガスがある地域は結構多いんですね」

カイトが驚いたように言った。

6 石炭はどこにある？

「さぁ、化石燃料の最後に石炭（Coal）の話をしておこう。これから出てくる石炭の国にはCと書いて」

地図にマークをしてみると、いくつかの国は数種類の資源が埋蔵されていることが明確に分かる。それに比べて日本は真っ白だった。

「実は、石炭はアメリカ、ロシア、中国、インド、オーストラリア、ヨーロッパなど世界各地に広く分布しているわ。その分布は天然ガス以上よ。さらに、政治的に安定している国にもあるし、生産量も多いので、安い価格で入手しやすいエネルギー資源なの【＊3】。明治初期には日本でも石炭をたくさん採掘していて、経済発展に大きく貢献し、石炭鉱業は一大産業だったわ。北海道や九州にはいくつもの炭鉱があったの。でも現在では、他の国から買った方が安いこともあって、ほとんどが閉山してしまったわ」

「あ、世界文化遺産に登録された軍艦島も炭鉱の島ですよね」

カイトが思い出したように言った。九州在住のラミが続ける。

「そう、軍艦島は長崎県だよ。えーと、正式な名前は……端島だ！　そうだ、モコ、カイト、来年の夏休みにウチに来ない？　一緒に軍艦島、行こうよ！」

「やった、真夏の大冒険！　部活の夏合宿が終わったら行きたい！」

「世界文化遺産に行きたい気持ち、僕もあるけど……」

「ふふふ、本物の旅が始まりそうね」

エナジーはにこにこ見守っている。

「さて、再び石炭の話に戻っていい？　世界各地に埋蔵されている石炭だけど、一方で気候変動の原因と言われている二酸化炭素を、とても多く排出することもあって、将来を考えた時に、どれくらいの需要があるかの判断は難しいところね」

「石炭はやめようというふうに、進んではいるんでしょう？」

「そうね。だけど未来のエネルギー需要と供給を考えた時に、本当に石炭が全く必要ないかどうかは分からないわ。例えば、ロシアがウクライナに侵攻した後には、世界的にエネルギーが不足して、石炭をまた使い始める国も多くなったの。価格も急激に上がったし。**石炭にアンモニアを混ぜて二酸化炭素の排出量を減らしながら火力発電を使い続けること**を考えている会社もあるわ」

エナジーは仁王立ちになって、誇らしげに言った。

「**この技術、実は今、日本が先端で行っている技術革新の1つよ！**」

7 ウランはどこにある？

「さて、そろそろお疲れだと思うけど、あと2つだけ、資源の分布について頭に入れておいてほしいの。もう少し付き合って」

エナジーは、画面に1枚の写真を共有した。その写真は、暗い洞窟の中にある鉱石のようだが、ところどころが紫色と緑色にとてもきれいに光っている。3人は、今まで見たことのない光る石に吸い込まれるように見入った。

「エナジー、この石はなぁに？　とってもきれい」

ラミがうっとりした声でつぶやいた。

「これはね、天然のウラン鉱石よ。ここからいくつもの過程を経て、発電に使うウラン燃料になるの。このウラン燃料を使う発電の方法が何か分かるかしら?」

「原子力発電ですね」とカイト。

「その通りよ。原子力発電についてはさまざまな議論があるけれど、これからの世の中を作っていくみんなには、なにごとにも自分の考えを持って判断できるようになってもらいたいの。だから、まず、原子力発電の燃料であるウラン資源がどの辺りにあるか、という話から始めるわね。また別の時に、私たちは原子力発電とどう向き合うべきなのかについて一緒に考えていこう」

3人は神妙な面持ちで大きくうなずいた。

「さて、まずウラン(Uranium)の確認可採埋蔵量は、792万トンU【*4】と言われているわ。埋蔵分布を確認しておくわね。ウランが埋蔵されている国にUとマークしてね」

エナジーは世界地図を画面共有し、南太平洋に浮かぶ小さな大陸をカーソルで指した。

「ここはどこかしら?」

「オーストラリアよ。私、コロナの前に家族で行ったことがあるわ」

ラミが明るい声で答えた。

「そう。オーストラリアね。一番多くのウラン埋蔵量が確認されているのがここよ。世界全体の28%。そして次がここ」

　エナジーが示した場所は、中東の少し北にあった。西はカスピ海に面し、北にロシア、南東に中国と接している中央アジア最大の国だ。

「カザフスタンよ。ここには、13%のウラン埋蔵量が確認されているの」

「そう言えば、少し前に民間人を乗せた宇宙船を発射したのは、カザフスタンからじゃなかったですか?」

　カイトが記憶を手繰るように言った。

「バイコヌール宇宙基地ね。ロケット発射には広～い土地が必要で、カザフスタンはとても適しているの。以前、カザフスタンはソビエト連邦にあって、基地は1955年に建設されたの。1991年カザフスタンは独立し、現在はロシアが有料で借りているわ。1961年にユーリ・ガガーリンを乗せた人類初の有人宇宙船〝ボストーク1号〟を打ち上げた基地でもあるの。言うなれば、地球上で一番宇宙に近い場所なのかもしれないわね」

　エナジーの言葉は、時々、3人を異空間へも連れて行く。

「日本にいるとあまりなじみのない国かもしれないけど、世界のエネルギーとか宇宙っていう文脈では重要な国よ」

　3人はそれぞれ〝カザフスタン〟とノートに記した。

　一呼吸おいて、エナジーは説明を続けた。

「カザフスタンに続いてカナダが10%、ロシアとナミビアが8%。ここまでが一般的にウラン大国と呼ばれているわ。次に4〜5%の埋蔵量があるのが、南アフリカ、ブラジル、ニジェール、そして中国。それより少ない1〜2%の国がモンゴル、ウズベキスタン、ウクライナ、タンザニア、ボツワナ、アメリカという感じ。それより下位の国は覚える必要はないわ。重要なのは、上位5カ国ね」

「じゃ、ウランの国はオーストラリア、カザフスタン、カナダ、ロシアとナミビアね！」

「そう、モコ。よく覚えたわね」

そう言うとエナジーは、今度はカッコいい車の写真を画面共有した。

8 リチウムはどこにある？

「この車、何か分かる？」

「え？　普通の車じゃないの？」

3人は画面の写真をじっと見つめた。

すると、その車の側面から高さ1・5メートルぐらいの縦長の箱へ、太いコードが延びているのに気づいたカイトが言った。

「あ、電気自動車ですね！」

「アッタリ〜」

エナジーは両手の親指を立てて、いいね！マークを作った。

「でも、なんで電気自動車？」

「ラミ。アメリカや中国、そして日本の自動車メーカーが製造している電気自動車の話、よく聞くでしょ？　自動車はこれまでガソリン、つまり石油を燃料としていたんだけど、これって環境によくない。だから車の燃料を電気にしようっていう動きが盛んになっているのは知ってるよね」

「知ってる！」

3人がうなずいた。

「これまでの自動車は、ガソリンがなくなったらガソリンスタンドに行って燃料補給したわけだけど、電気自動車は電気を充電することになるわよね」

そう言うとエナジーはポケットの中から小さな乾電池を取り出して画面に映した。

「これ、なんだか分かるよね」

「乾電池。テレビやエアコンのリモコン、懐中電灯とかに使ってるわ」

「そうそう。リモコンや懐中電灯は、ほんの少しの電気で作動するから、こんなちっちゃな乾電池でいいんだけど、車はそういうわけにはいかないじゃない？　で、このおっきな充電器が必要になるんだな」

そう言いながらエナジーは、車の脇の縦長の箱にカーソルの矢印を置いた。

「みんなもスマホの充電器は持ってるよね。それのおっきいバージョンがこれ。燃料となる電気はどこかで発電して、それが送電線を伝って充電器があるところまで来る。その電気を車に注入する時に、この充電器が必要になるの。日本ではまだあまり見かけないかもしれないけど、アメリカの大きな駐車場とかには、たくさんの充電器が並んでいるのよ。駐車している間に車に充電できるようにね」

「それ、ネットで見たことあります。日本もいつかこんなふうになるのかなって気になっていました」

「そうね。この充電器を作る時の重要な資源をリチウムというの。リチウムは、どこかで発電した電気をためておくための蓄電池を作るのにも、とても大事な資源なのよ」

ラミが、アッと思い出したように言った。

「この前、集中豪雨で隣町が浸水して停電になった時、電気自動車が何台か駆けつけて、車から電気をひいて明かりをつけたり、スマホの充電をしたりして何日間か過ごしたっていう話を聞いたわ。電気自動車が電源の役割を果たしたってこと？」

「よく思い出してくれたわ。そう。そうなのよ。電気自動車は、これまでのガソリン燃料が電気に代わるっていうだけじゃなくて、蓄電池としても機能するっていうことなの」

「それって、移動する蓄電地になるってこと？」

「そうよ。モコ、いい気づきよ！　自動車だから電力を失った災害地に移動して、一時的に電力を供給する移動式の蓄電池にもなるの。未来のエネルギーシステムの一部として、とても重要な役割を果たすわ。そして、蓄電池や充電器の主な材料はリチウム。これから先、これまで以上にリチウムが重要な資源になっていくのは間違いない。だから私たちは、リチウムがどこにあるのかを知っておく必要があるの」

「蓄電池や電気自動車にリチウムが必要だっていうのは分かったんですが、将来のエネルギーシステムとどうかかわっていくのか？　その辺りがよく分からないなあ」

カイトがつぶやいた。

「ごもっとも、カイト。的を射た疑問だわ。従来のように大型で石炭やガスを燃料とする発電所は、二酸化炭素を大量に排出してしまうじゃない？　なので、将来はもっと太陽光発電や風力発電のような再生可能エネルギーをたくさん使っていこう、という方針を日本も持っているの。だけど、再生可能エネルギーを有効に活用していくには、蓄電池や電気自動車が必要になるの。詳しいことは、また後でね」

そう言うと、エナジーはご機嫌をうかがうようにカイトの顔を見た。

「了解。でも、その辺りとても興味があるから、対話の前に自分で勉強しておいてもいいですか？」

「もちろんよ。モコやラミも、興味があることや、もっと知りたいと思ったことは、どんどん自分で調べてみてね」

エナジーは腕時計をのぞき込み、少し早口で説明を始めた。

「やばい。もうこんな時間だわ。さっさとリチウムのある国について説明するわね」

「リチウム（Lithium）のある国はLとマークしてね。世界のリチウムの総埋蔵量は、2021年時点で約1億1100万トン【＊5】とされているわ。これだけでも、現時点での生産規模を前提とすると200年分以上あると言われているから資源としては豊富にあるわね。埋蔵量が多い国を順番に挙げると、まず、ここ」

エナジーは、南アメリカ大陸の太平洋側に、細長く張り付いているように見える国にカーソルを動かした。

「ここはチリ。チリには世界のリチウム埋蔵量の約44％があると言われているわ」

そう言うと、エナジーは少し急ぎ気味に次の国にカーソルを移動させた。

「次に埋蔵量が多いのはオーストラリア。埋蔵量は全体の22％強。こう考えてみると、私たち日本の隣国とも言えるオーストラリアは資源が豊富な国ね。石炭、天然ガス、そしてリチウム。エネルギーに必要な資源をたくさん埋蔵しているわ。輸送にも日数がかからないから、日本にとっては大事な隣人だわね。次に、アルゼンチン9%、中国7%、アメリカ・カナダの北米6・1%、あとはその他、という感じになるわ」

「埋蔵量を見ると、リチウムはチリとオーストラリアに集中しているように見えます。だけど、そこからリチウムを製品にして、例えば日本みたいにそれを必要とする国に輸出するっていうプロセスも、全てチリやオーストラリアでやっているのですか?」

エナジーは、またもや我が意を得たり!といった表情をした。

「そうなの。リチウムが埋蔵されている国とそれを製品化する、いわゆる生産力のある国、そして輸出している国がいつも同じというわけではないわ。リチウムについて言えば、世界全体の生産量が2021年時点で約43万トン。そのうちの約5割がオーストラリア、そして2割がチリ。それに中国とアルゼンチンを加えた4カ国で9割以上となっているの。そして注目したいのが、中国よ。中国は今後リチウムの生産量が伸びると言われているの」

「どうしてなの?」

「中国にはリチウムが採れる塩湖や鉱石もあるわ。それに加えて、オーストラリアで採掘された鉱石が中国に運ばれて、そこで製品化するというプロセスが出来上がっていると言われているの。リチウムについては中国が力を持ちそう。ちょっと気がかりね」

モコは、腕組みをしながら、こう言った。

「資源を埋蔵する国、採掘して製品にする設備投資ができる国、そしてそれらを、日本のように必要とするところに輸出できる国は、私たちに影響力もあるっていうことよね」

「まぁ、そうとも言えるわね。ただ、国と国との関係は、実はお互いに持ちつ持たれつ、というところもあるのよ。例えば、日本は資源のある国から必要な資源を買わなければいけない。一方で、資源のある国はその資源に依存した経済になってしまっているから、資源が売れなくなったら困る。そんなことを考えながら、お互いに共存できるように、いろいろな協力体制を維持しているわ」

　エナジーは一呼吸おいて言った。

「ここ最近の気候変動問題を食い止めるためには、従来の化石燃料の使用量を劇的に減らしていくことが求められているでしょう？　一方で、原子力発電が見直されたり、蓄電池が必要になったりして、ウランやリチウムの必要性が高まると、それらを持っている、あるいは、製造して輸出できる国の力が強くなっていくかもしれないわね」

「そうか。そういう意味では、僕たちは今、化石燃料の使用を減らして、次世代の燃料に変えていくっていう大きな変化の中にいるんですね。そして、さまざまな国の強みも変化していくんですね」

　エネルギーが人間や環境に与える影響の大きさを知ることで、世界を見る自分の視点が変わっていく予感がした。

「長い長い人類の旅の中で、私たちが生きている時間はほんの一瞬。だから、物事が大きく変化していても、気づかずに見過ごしてしまうことがほとんどだけど、みんなには今起こっている変化を、きちんと見ていてほしい。そして、その変化の先にあるものを、自分たちの手で作り出してほしいと思うわ。それじゃ、またね」

そう言うと、エナジーは、バイバイと手を振ってオンラインの接続を切った。同時に3人それぞれの画面も消えて、今日の対話が終了した。

モコが壁にかかっている時計を何気なく見ると、もう12時近い。

「やばい！　明日、朝練あるよぉ！」

ベッドに潜り込むやいなや、スースーと寝息を立て始めた。

【＊1】資料＝BP「Statistical Review of World Energy 2021」をもとに作成

【＊2】天然ガスはどこにある？／株式会社合同資源（godoshigen.co.jp）

【＊3】石炭について学ぶ Q1：石炭とは何か／一般財団法人カーボンフロンティア機構（jcoal.or.jp）

【＊4】OECD／NEA・IAEA共同報告書「ウラン2022――資源、生産、需要」ポイント紹介 一般社団法人日本原子力産業協会

【＊5】アメリカ地質調査所 Mineral Commodity Summaries, January 2021・炭酸リチウム換算

対話2　まとめ

・膨大な時間の末に、植物は石炭になり、生物やプランクトンの死骸は石油や天然ガスになった。その過程は、恐竜の化石と同じなので、石油や石炭、天然ガスを化石燃料と呼ぶ。この化石燃料は、炭素を主成分とするため、燃やすと周りの空気と結合して二酸化炭素ができる。

・人間が化石燃料である石炭や石油を使い始めた産業革命の頃から、急激に二酸化炭素の排出が増えた。

・石油や天然ガス、石炭、その他の価値あるエネルギー資源は、世界のあちらこちらに点在している。資源がある国もあれば、ない国もある。国それぞれに、豊かで幸せに暮らすためにしなければならないことは異なる。

・資源のない国は、資源のある国からのエネルギー供給ラインを閉ざさないよう、資源国との良好な関係維持、技術開発への協力、採掘や施設建設への投資、輸送のための工夫など、さまざまな取り組みを行っている。

対話3

エネルギー資源がないのに世界一停電しない日本

1 モコ、パニック、電気が使えない!?

「ふぁ〜」

モコは大きく伸びをしながら目を覚ました。辺りは真っ暗だ。

「う〜ん、今何時？」

いつもならバックライトで時刻を示しているはずのデジタル時計が、今日はなんの表示もない。

「おかしいな」

充電器に差してあるスマホの画面にタッチしてみたが、こちらも反応がない。

「ありゃりゃ？　何？」

慌てて、電気をつけようとスイッチをパチッと入れたが、部屋中の電気がつかない。

「えっ？　どういうこと？」

真っ暗な部屋の中でパニックになりかけたところで、階下からママの声がした。

「モコ〜。起きなさ〜い！」

「う、う〜ん」

目をこすりながら体を起こして周りを見回した。あ、時計、動いてる。スマホも。

「今日は朝練なんでしょ！　さっさと支度して、ご飯食べて、学校行かないと！」

「……夢、か」

モコは、ホッと胸をなでおろしてベッドから離れた。急いで身支度を整えて階段を駆け下り、トーストと目玉焼きと牛乳でエネルギーチャージすると、学校に向かって猛ダッシュした。走りながら、モコは考えていた。私たちは、毎日毎日、電気やガスを使っているけど、それって本当に当たり前のことなのかな？

翌日、3人はエナジーとのオンラインミーティングを知らせるルーティンのメールを受け取った。今回はいつもとは、ちょっと違っていた。メールの一番下に、どこかのサイトにつながるリンクが貼ってあり、「これ見て！」とエナジーのメッセージがついている。

4日後、約束の時間に3人がそれぞれの部屋からオンライン接続すると、エナジーの画面には、先日リンクで送られてきたのと同じ画像が映し出されていた。

宇宙から見た夜の地球：
DMSP衛星による地球の夜景データ
（1992年～2013年＝Google Maps版）（nii.ac.jp）

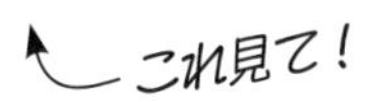

「どう、きれいでしょ。これ、夜の地球よ」

もちろん、地球全体が同時に夜になるはずはない。その写真は、NASA(アメリカ航空宇宙局)等から提供された数百枚の衛星写真をつなぎ合わせたものだという。

「うん、とてもきれい！　初めて見た時、感動した」

3人は声をそろえて言った。

「いろんな夜の地球の画像がネットに掲載されているわ。動画もあるから、検索ワードに『夜の地球　衛星データ』って入れて探してごらん。

これを見るとね、地球上のいろんな国や地域の経済活動がどれくらい活発か一目瞭然なの。ほら、日本を見て。夜なのに、すごく明るいでしょ。アメリカは西海岸に少し光が見えるけど、ほとんどが東海岸ね。西ヨーロッパは全般的に明るいけど、特に明るいのはイギリスのロンドン辺りと、そこから大陸側に渡ったところ。これはオランダかしら。そして、北イタリア辺りが随分明るいわね。少し明かりが灯っているのは、ロシアの首都モスクワ辺りね。中国はやはり海側の上海辺りが一番明るい。みんなが眠っている間にも、世界中でこんなにたくさんの電気が使われているってことね」

「私ね、この前、変な夢を見たんだ。朝起きたら、部屋中の電気がつかなくて、デジタル時計もスマホも画面が真っ暗。パニックになりかけたところで目が覚めたの。そんなこと、今まで経験したことがなかったから、夢って分かった今でも、ずっと頭の中に真っ暗な部屋のイメージが残ってる。ねぇ、災害じゃない時でも、そんなこと、本当にあったりする？」

モコが不安そうな声で聞いた。それに答えたのは、カイトだ。

「最近は特に、集中的な豪雨や台風が来ると停電になったりすることが多い。だけど僕、日本は国際的にみても停電の時間がすごく少ないって聞いたことがあるんだ。1年のうちの停電時間は、フランスで51分、イギリスで40分とかだったかな。アメリカは結構よく停電があって、ニューヨーク州で167分、カリフォルニア州で355分以上。でも、それに比べて、日本は全国平均で10分、東京や関東辺りだけに限定すると、たったの7分ぐらいらしいんだ【＊1】」

「ええ、すごい！　じゃ、日本では災害時でなければ停電の心配はしなくてもいいのかな。でもさ、おかしくない？　地図を見ながらエネルギー資源がある国をマークした時、日本は真っ白のままだったでしょ。つまり、日本にはエネルギー資源がないってことだよね。それなのに、どうして日本の停電時間は、どこの国よりも短いの？」

2人のやり取りをじっくり聞いていたエナジーは、待ってました！とばかりに言った。

「それでは、今日の対話のテーマを発表します。〝エネルギー資源のない日本のエネルギー格闘ヒストリー〟よ！　島国日本は、どのようにして〝電気はあって当たり前、停電がほとんどない国〟になったのでしょう⁉」

2 びっくり、エネルギー自給率はたったの11%!

「さっきモコが言った通り、日本には、エネルギー資源がとっても少ない。じゃあ、私たちが使っている電気や動力の元は、一体どうしているのだと思う?」

「日本は、エネルギー資源を他の国からの輸入に頼っているっていうことですね」

「そう、その通り! 輸入に頼らないで、日本国内で賄うことができるエネルギーの割合を〝エネルギー自給率〟っていうんだけど、日本の場合、エネルギー自給率はたったの11%。言い換えれば、エネルギー資源の実に89%を海外の国々に依存しているの。それがどういうことか、分かるかな?」

「うーんと、エネルギー資源を買わなくちゃいけないから、お金をたくさん海外に支払わないといけないんだと思う」

ラミが答えた。

「そうね。必要とするものを海外から輸入する時には、お金を払わなくちゃいけないわね。じゃあ、もう1つ質問。お金さえ払えば、海外の国は必ずエネルギー資源を売ってくれるのかしら?」

「それって、意地悪されて売ってもらえないかもしれないってこと？」とモコ。

「うーん、意地悪っていうか、そのエネルギー資源を欲しいのが日本だけじゃないとしたら、量が足りなくなるってこともあるんじゃないかしら？　それに、エネルギー資源がある国も、安い値段では売りたくないっていう場合もあるかもしれないわね」

モコは思わず、４日前、夢で見た真っ暗な自分の部屋を思い出して不安げに言った。

「いつか日本がエネルギー資源を十分輸入できなくなって、ある朝突然、電気がつかなくなったりしちゃうのかな？」

「安心して。日本は今まで、エネルギー資源が不足したから電気がつかなくなったということはありません！」

「なーんだぁ。ビビったぁ～」

３人は胸をなでおろした。

3 覚えて! 4つの大事なこと

「ここで、みんなに知っておいてほしいことがあるの」

エナジーが大きな画用紙を画面に映し出した。画用紙の一番上には、太いマジックペンで「S＋3E」と書いてあった。

その画用紙を、グーッとカメラに近づけながら説明した。

「これは、家や学校、会社、工場、そして、電車、駅、病院などの公共の場も含めてエネルギーを毎日問題なく使うことができるようにするために大事な4つのことを表しているの。それぞれの頭文字をとって、S＋3Eよ。

まず、最初がSafety（セーフティー）ね。石油やガスの採掘、生産、輸送の時には、安全に対する配慮が必要なの。取り扱いを間違えれば、タンカーから石油が漏れて海を汚染して、魚が死んで生態系を崩してしまうし、引火などしようものなら大事故になるわ。エネルギーを使って発電を行う発電所も同様ね。発電所は、さまざまな高度な技術を使うものが多いの」

エナジーは、さらに続けた。

「2つ目、Energy Security（エナジー セキュリティー）は社会生活や経済活動が停滞しないように、安定して資源国からエネルギーを輸入し、国内に供給すること。**エネルギー安全保障**とも言うわ。3つ目のEconomic Efficiency（エコノミック エフィシエンシー）は、みんなが電気代として払える価格でエネルギーを提供すること。例えば、電気代が高くなりすぎて払えなくなったとしたらどうなるかしら？」

「え？　電気、止められちゃうの？　明かりもつかないし、ごはんも炊けないし、テレビだってもちろん見られなくなっちゃうよ」

「それ以外にも、凍えるほど寒くたって暖房は使えないし、暑くて熱中症になりそうでも冷房も使えない。冷蔵庫だって使えないから食べ物の保存ができない。そんなことになったら便利か不便かってレベルの話じゃなくて、人の生死にかかわるわよね。だから、エネルギーや電力は、なるべく価格を抑えておく必要があるのよ。

最後はEnvironment（エンバイロンメント）。もともとは、環境に優しいとか、環境に配慮したたっていう程度の意味合いだったけど、今では、気候変動を止めるために、脱炭素とか二酸化炭素を排出しないエネルギーの方が望ましい、という意味合いの方が強くなってきたわね」

「この4つのことが大事だっていうのはよく分かりました。でも当然といえば当然のことのような気もするんです。なぜここで、あえてこの4つが大事だってことを強調するんでしょうか？」

たいがい、大事なことというのは当たり前のことが多い。カイトの発言は素朴な疑問だった。

「いいポイントに気がついたわね。そうなの。それぞれ単独で見てみれば、大事なことなのは一目瞭然。でもね、この4つが同時に成り立つようにすることを考えてみたらどうかしら？　それは、そんなに簡単なことじゃないのよね」

「それはどういうことですか？」

「例えば、Economic Efficiencyというのがあるよね。誰にでも払える電気代で提供することが大事ってこと。それだけを考えたら、多分一番安い発電の方法は、石炭を燃料に使う石炭火力発電なのね。石炭は結構いろんな国にあって、安価で入手しやすいエネルギー資源だったよね。でも、石炭を使うと二酸化炭素がとてもたくさん排出されて、Environment、つまり環境に配慮した、とか脱炭素っていうのが成り立たなくなる」

「じゃあ、再生可能エネルギーをたくさん使えばいいんじゃない？」とモコ。

「そうね。でも、今はまだ、日本には再生可能エネルギーは、みんなに必要な電力を賄えるほど十分にはないから、Energy Security、つまり安定的に電力を届けるってことが成り立っていない。それに、石炭と比べると再生可能エネルギーでつくる電力は、今の時点ではまだ値段が高いの。おまけに、お日様任せ、風任せで、電気をつくる量がうまくコントロールできないから、必要な時に電力が足りなくなったり、必要のない時にたくさん電気ができたりっていうことが起こるの」

「安定供給できないってことですね」

「そう。2011年、福島の原子力発電所の事故が起こるまで、原子力でつくる電力は二酸化炭素も出さないし、発電コストも安いし、燃料も将来的にはリサイクルして使えるから、日本のように資源のない国にとってはとても望ましい方法だと考えられていたの。〝夢のエネルギー〟なんて呼ばれていたわ。だけど、大きな事故が起こって、人々は原子力発電のSafety、安全性への不安を募らせるようになってしまった。原子力発電については、とても大事な話だから別の対話で旅をしたいと思っているわ」

エナジーは一呼吸おいて、こう締めくくった。

「つまり、この4つの大事なことは、このうちの2つ以上の条件を同時に成立させることがそんなに簡単じゃないっていう特徴があるの。今、地球上の国のほとんどが同じ問題を抱えている。そして、この4つの大事なことを共有し、それぞれの国が持っている資源をやり取りしたり、共同で技術開発することを通じて、難しい課題に協力して挑戦しようとしているのよ」

そして、最初に出した大きな画用紙の下の方に貼ってあった目隠しシールをペロ〜ッとさらに剝がした。すると、そこには、「**同時に成り立たせるのは、簡単ではないっ！**」とさらに太いマジックペンで書いてあった。

4 エネルギー格闘ヒストリー

「ところで、少し前に、1950年頃、日本の誰もが憧れた家電、三種の神器の話をしたのを覚えてる？」

「えーっとね、洗濯機、冷蔵庫でしょ。それから、ブラウン管のテレビ」とラミ。

「はい。正解です。その頃は高度成長期と呼ばれて、石油を使った発電のおかげで電気の需要も増えていった」

エナジーは、その頃の日本がどれほど活気に溢れていたかを次々に描写した。

「1964年の東京オリンピックの前には、新幹線が開通したり、高速道路が造られたり。テレビも最初は白黒だったけど、すぐにカラーテレビが発売になったし、今はどの家庭にもあるエアコン（当時はクーラー）も電器屋さんの店頭に並ぶようになった。そして自動車もどんどん普及し始めたのよ。最初にはやった電化製品は、三種の神器と呼ばれたけど、次にはやったこの3つ、カラーテレビ、クーラー、自動車（カー）は、3Cと呼ばれたの。そんなふうにして、1970年を迎える頃まで、日本はどんどん経済成長していったわ」

3人は、どこか遠い国のことのように実感を持てずに聞いていた。日本がすごく成長しているという話はあまり聞いたことがなかったからだ。

「そんな頃よ。1973年。日本が、そして世界中が大パニックにおちいったの。石油ショックよ！」

格闘その①　石油ショックで大打撃！

「石油ショック？」

3人は、聞きなれない言葉に目を丸くして聞き返した。

「そう、石油ショック」

「一体、何が起こったんですか、エナジー？」

「石油の産地は中東に集中しているって、前回の対話で話したのを覚えてる？　1973年、その中東地帯で戦争が起こったの。この辺りの地域での戦争は珍しくなくて、この時に起こった戦争は、第4次中東戦争と呼ばれているわ。つまり、その前にも少なくとも3回は戦争があったっていうことね」

エナジーは、中東の不安定な情勢について話し始めた。

「そもそも、中東戦争の主な原因は、中東のパレスチナ地域をユダヤ人とイスラム系のアラブ人が互いに自分の民族の土地だ、って主張しあっていたことに始まったの。沈静化している時期はあったとしても、この民族の争いは容易には終わらないの……」

エナジーは難しい表情でそう言った。

「どうして第4次中東戦争のせいで、石油ショックが起こったんでしょうか？　で、日本にどんな影響を与えたのか、とても興味があります」とカイトが言った。

「第4次中東戦争は、エジプトとシリアが占領された領土を取り戻すために、イスラエルに対して攻撃を始めたことから戦争に発展したの。そして、アラビア半島で戦争が起こったことを機に、ペルシャ湾岸の国々（サウジアラビア等）が原油価格の引き上げや減産を表明した。近くで戦争が起こると、石油の生産が通常通りできなくなるよね。だから、これまでと同じくらいの収入を得るためには価格を上げる必要がある、と考えたのね。

これを受けて正式に、OPEC（オペック）（石油輸出国機構。欧米の国際石油資本から、石油産出国の利益を守ることを目的に設立された組織）は、原油価格の引き上げを決定したわ。さらにOPECに加入しているアラブの国々は、イスラエルを支持しているアメリカに経済制裁を実施することを決定したの。アメリカやその他のイスラエルを応援している国には、石油を売りません、ってね。

日本は中東の国々に対して中立的な立場だったんだけど、アメリカと親密な関係にあったので、同じくイスラエルを支援しているのではないか？と見なされる可能性が高かった。それで、日本政府は、当時の副総理を特使として送って、日本はイスラエルを支援していません、制裁リストから外してください、っていう交渉をしたの。その結果、日本は、石油の輸入量に制限をつけるという妥協案を取り付けて売ってもらえることになったわけ」

「それじゃ、日本には石油は入ってきたんですね」

「ええ。だけど日本は、アメリカなどの石油を輸入できなくなった国から、多くの石油製品や化学製品、プラスチック製品も輸入していたから、輸入品の値段はすごく上がったし、生産量も不足して、物不足になるっていう不安感が日本社会全体を覆ったの。石油ショックは、実はもう1回、1979年にも起こったわ。その2回の石油ショックで、日本は中東の産油国が石油の値段を操作したり、減産したりすると、大打撃を受けてしまうんだということを、身に染みて学んだの。つまり……」

「エネルギー資源を、中東のような不安定な地域に集中的に依存すると、そこで戦争や紛争が起こったら、日本はそのエネルギー資源を入手できなくなってしまう。その結果、大きな打撃を受けるって、そういうことですね、エナジー」

カイトは、少し興奮気味に画面越しのみんなの顔を見つめた。エナジーは、神妙に大きくうなずいた。

「さぁ、ここからは、そんな状況から日本がどのようにして起死回生を図ったかを見ていくわよ！　でも、その前にちょっとブレークしない？　のど渇いちゃった。10分休憩しよう」

「オッケー！」

3人はパソコンの前を離れた。

格闘その②　エネルギーの無駄遣いを見直す

10分後、モコ、ラミ、カイトは、それぞれ飲み物を片手に戻ってきた。椅子に腰かけて画面をのぞき込むと、そこに映し出されていたのは3つの円グラフだった。

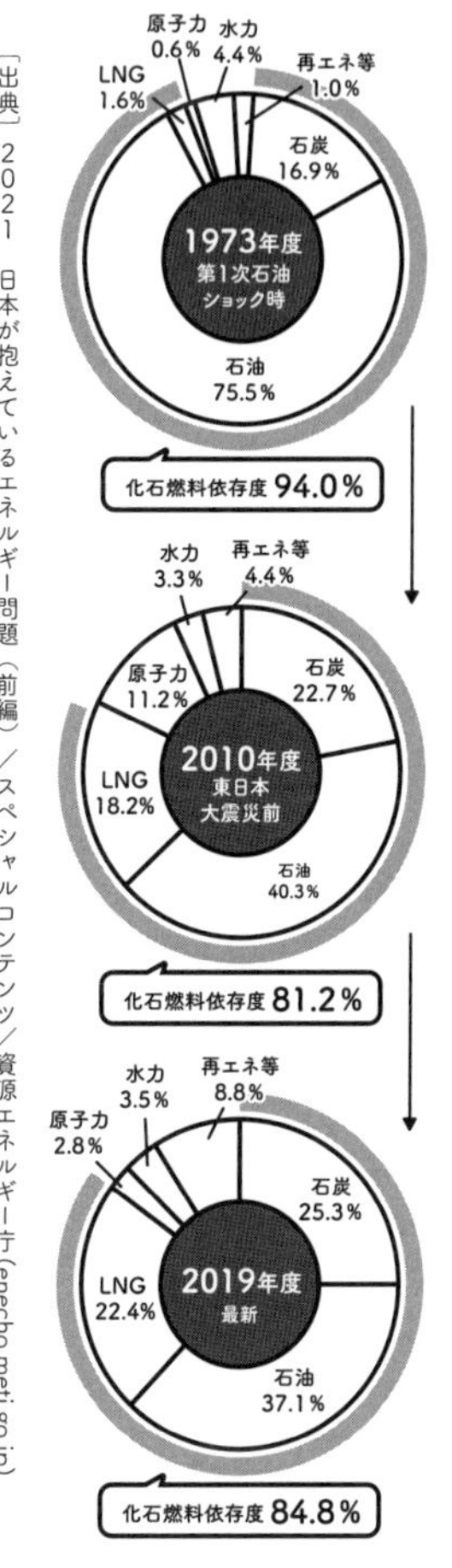

［出典］２０２１　日本が抱えているエネルギー問題（前編）／スペシャルコンテンツ／資源エネルギー庁(enecho.meti.go.jp)

「これはね、３つの異なる時点における日本のエネルギー供給の構成を表している円グラフよ。それぞれの時期に、どういうエネルギーを使っていたか、その割合を示しているの。発電、動力、それから製鉄のような高いエネルギー量を必要とする工業で使われるもの等を全部含めた、日本で使われていたエネルギー全体を対象としているわ」

「まず、上のグラフを見てちょうだい。円グラフの真ん中に１９７３年度って書いてあるわね。つまりこれは、１９７３年の石油ショックが起こる前まで、日本で使っていたエネルギーの構成が示されているってこと。さぁ、これを見て、何が分かる？　ちなみに、LNGというのは液化天然ガスのことよ」

最初に手を挙げたのはモコだった。

「は～い！　石油ショックが起こるまでは、日本のエネルギーは、ほとんどが石油、そして少しだけ石炭を使っていたのが分かる。石油は75％以上で、石炭は17％ぐらい。つまり、この2つで全体の92％のエネルギーを賄っていたってことよね。あと、小さくLNG、これって液化天然ガスだよね、この分を足すと94％が化石燃料だってことを表しているんだと思う」

ちょっと不安そうな表情で、エナジーの顔をちらっと見た。

「その通り。いいわ、モコ。発言の内容も明確で、とても分かりやすいわよ」

今度は真ん中の円グラフをズームアップして画面に映し出した。

「では、これはどうかしら？　ラミ、トライしてみる？」

「はい。このグラフは、真ん中に2010年度って書いてあって、東日本大震災よりも前のエネルギー供給の状況ってことだと思う。1973年度と比べると、石油は約40％とすごく減ってる。石炭は約23％と増えているけど、もっと増えたのは、LNG（液化天然ガス）と原子力だってことを表していると思う……」

2つのグラフを比較して導き出した説明に、エナジーは称賛の拍手を送った。

「ラミ、あなたの言う通りよ。石油ショックを切っかけに、日本にとって**エネルギーの安定供給を確保すること**（Energy Security）**が、国の経済や、将来に影響を与える最重要課題**だということを改めて国民全体が認識したの。その結果、1970～80年代にかけて、日本政府は、エネルギーに関する3つの施策を打ち出したわ」

エナジーは画面に向かって画用紙を掲げた。そこには、こう書かれていた。

「エネルギーの安定供給を確保するための3つの施策」
① 石油の安定的な確保を図るため、石油の備蓄を開始する
② 効率的なエネルギー利用に努める
③ エネルギー源の多様化を進め、石油依存度を下げる

「1つ目には、必要な量の石油が輸入できないととても困るので、念のためにタンクにためておきましょう、ということを決めたのね。これを備蓄、というんだけど、今、**石油は**

常に最低でも90日分の備蓄をすることになっているのよ。石油が輸入できなくなっても、3カ月ぐらいは国内で必要とする分はあるってこと。少し安心でしょ。それに、その間に対応を考える時間稼ぎになるわね」

「2つ目は、石油を使う量も考えなきゃね、っていうことに気がついたの。今から考えると、笑っちゃうぐらい当たり前よね。この頃は、電力や自動車が普及し始めた頃で、みんな喜んでたくさん使っていたの。でも、工場や輸送、建築物や機械の**電力や動力も効率的に使いましょう、無駄なエネルギーは使わないように**と、政府も呼びかけたの。それだけじゃないわ。今でも、外国の人がとても驚くことがあるの。それはね、日本の電気製品は、省エネ対応がとても進んでいるってことよ」

ラミが手を挙げて言った。

「日本の最新型のエアコンには人感センサーが付いていて、人がいるかいないかをエアコンが判断して温度設定するようになってるから、すごい省エネよね」

「つまりね、この時期から日本人は、電気やガスといったエネルギーを使いすぎないっていう習慣が身に付いただけでなく、電化製品の省エネ技術も他の国に比べてグングン進んでいった、ということなの。それは、日本が世界に誇れることだと思わない？」

3人は嬉しくなって、大きくうなずいた。

「日本はエネルギーがない国だからこそ、技術を使ってそれを乗り越えていかなくちゃいけないし、これまでもそうしてきたんですね」

「大事なのはそこ。エネルギーがなくても、知恵がある!」

カイトは、机の下で小さくガッツポーズを作った。日本の未来を作るための技術を、僕も作ってみたい、そして、社会の役に立ちたい、そんな思いがカイトの心に少しずつ芽生え始めていた。

「それじゃあ、3つ目に移るわね」

〝エネルギー源の多様化を進め、石油依存度を下げる〟と書いてある。

「これ、一体何を意味しているのかしら?」

「自信がないけど、トライしてみます。石油ショックを受けて、日本は中東の石油だけに集中的に依存すると、輸入できなくなるリスクがあることに気づいた。人々の生活にも影響がある。だから国として、**石油以外のエネルギー資源も活用できるようにしていこう**という方針を決めたってことでしょうか。その結果、2010年度には、石油の割合が減って、LNG(液化天然ガス)や原子力の割合が増えている。それは日本のエネルギー源の多様化を示しています」

「ご明察ね。さすが」

「ありがとうございます。推測でしたが」

カイトは照れ笑いした。

「それを論理的推察っていうのよ。私たちがものを考える時、分かっている事実や見えている事実はほんの一部だったりするけど、その事実が合理的に成り立つためには、見えていない部分に何がなきゃいけないか、を論理的に埋めていく方法ね。それが今、カイトがやったことよ。素晴らしいわ」

「それが今、僕の頭の中で起こっていたことなんですね」

カイトはなんだか嬉しそうだった。

（カイト、不登校になってからは、あんまり楽しそうじゃなかったけど、エナジーとの旅が始まって、少しずつ表情が明るくなってきた。カイトは理系だし、調べ物も好きだし、私たちが知らないことも教えてくれるし、何よりも本人が楽しそう。ほんとにこの旅に誘って良かった！）

と、モコも嬉しくなっていた。

格闘その③　技あり！　液化天然ガスの輸送システム

「この円グラフのＬＮＧは液化天然ガスだって伝えたけど、なんでＮＧ（天然ガス）じゃなくて、LNGっていうのか？　LNGってなんなのか？について少し深掘りしたいんだけど、いいかしら？」

「実はそこのところ、ボヤッとしてた。教えて、エナジー」

ラミがカメラの前で両手を合わせて、お願いポーズをした。知らなかったことを知る喜びに目覚めたラミは、対話を重ねるごとに知識に貪欲になっていた。

「オッケー。まず、石油依存からの脱却を図るために、日本は天然ガスに目をつけたの。以前も話したように、天然ガスは世界中に分布していたわね。石油が中東に集中しているのに比べると、天然ガスの方が安定的に確保しやすいでしょう。そのため、石油の代替として一部、1962年から、天然ガスは都市ガスの原料として日本でも使われていたの。でも、大量に輸入されるようになったのは、**1969年ぐらいからよ。アラスカのLNG基地からのタンカーが、東京ガス根岸LNG基地（神奈川県横浜市磯子区新磯子町）に着船したのが、日本のLNG時代の幕開け**、と言われているわ」

「石油ショックの前から始めていたんですね」

「実はそうなの。天然ガスはさまざまな国から輸入することが可能だったし、そのおかげで、どこかで紛争が起こったとしても、他の国からの輸入量を増やすことができたのよ」

画面にはまた別のグラフが共有された。

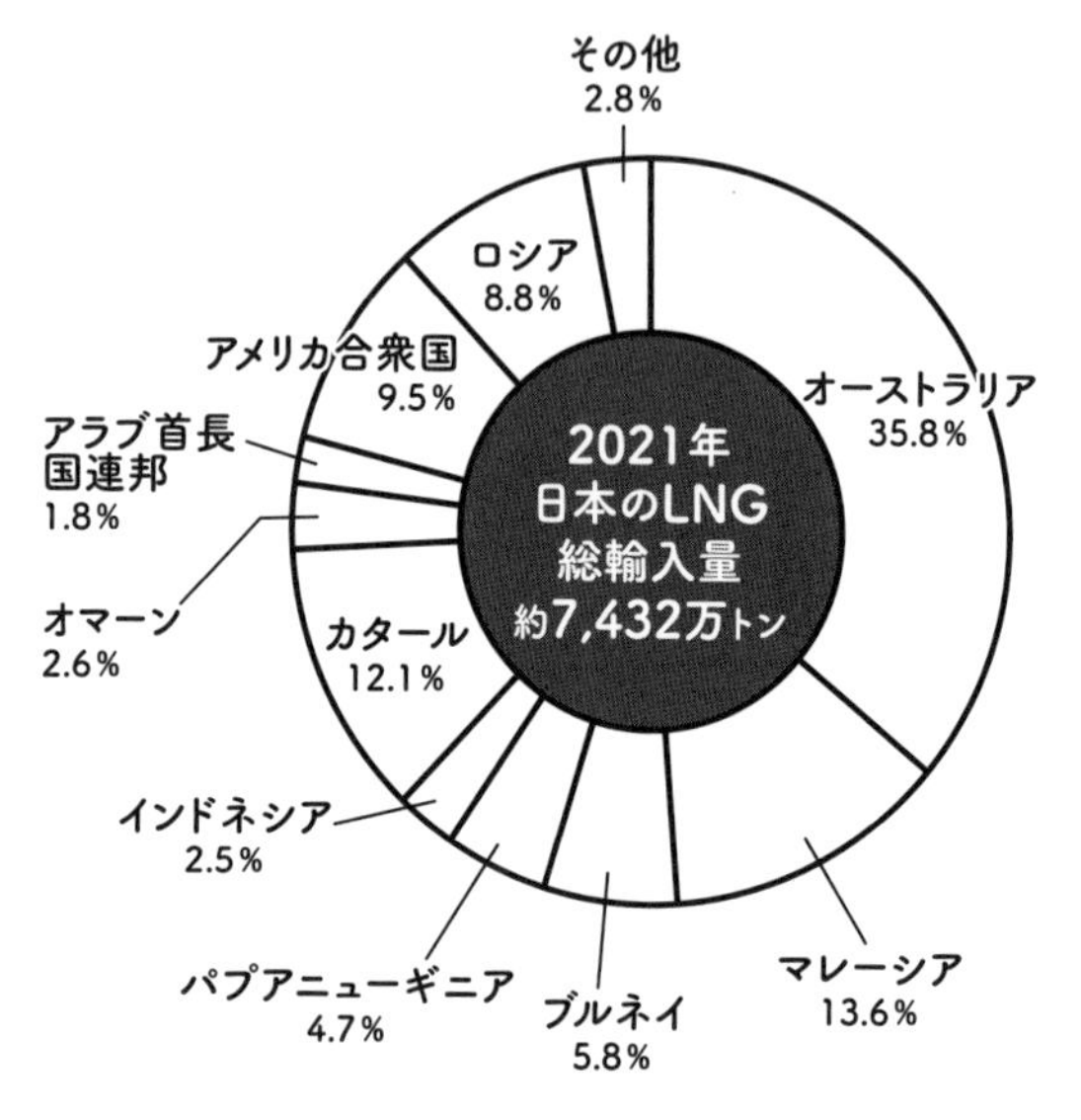

［出典］2021―日本が抱えているエネルギー問題（前編）／スペシャルコンテンツ／資源エネルギー庁（enecho.meti.go.jp）

「さて、今、日本が天然ガスを輸入しているのは、こんな国々よ」

それは、日本が天然ガスをどのぐらいの割合でどこから輸入しているか、２０２１年時点のデータをもとに作られたグラフだった。それによれば、日本が輸入している天然ガスの約36％がオーストラリアからで、次がマレーシア、その他の東南アジアやアジア・オセアニアの国、中東のカタール、アメリカ、ロシア、その他の国々からといった様子だ。確かに、石油は中東からの輸入が大半を占めていたのに比べて、天然ガスはアジア・オセアニアや東南アジア等、比較的日本に近い国から輸入していることが分かる。

「ところで、四方を海に囲まれた日本に、これらの国々から天然ガスをどうやって運んでくるのかしらね？」

「ほとんどの輸入品は船か飛行機で輸送されてくるのよね。だけど、大量の天然ガスを輸入するのに飛行機だと難しいだろうから、船、かな？」

「ラミ、当たり〜！　では、もう1つ質問です。そもそもガスってどんな形状でしょうか？」

「それは、ガスが固体か、液体か、それとも気体か、という質問ですか？」

「そうよ」

エナジーは大きくうなずいた。

「ガスは気体ですね。ガス、ですから」

当たり前でしょう、と言わんばかりのカイトに、モコとラミは、不意打ちを食らったようにハッとした。

「またまた当たりよ！　あなたたちの家にもガス管を通って、気体のガスが来るわよね。同じ仕組みで、天然ガスが採れる場所から比較的近い陸続きの場所まで輸送する時には、パイプラインをつなげて気体のまま輸送するの。でも、海を渡らなくちゃならない場合はどう？」

「えっと、海底にパイプラインを通すことは不可能ではないと思うけど、すごく長い距離だったら、とてもお金がかかると思うな」

「もしも海底に引いたパイプラインにヒビが入って、ガスが漏れたりしたら、大変な事故になっちゃうんじゃない？」

「ガスは常温で気体なわけだから、輸送距離が長すぎると温度が上がって膨張して体積が増えてしまうこともあるのでしょうか？」

3人は、それぞれの考えを答えた。

「そうね。どうもパイプラインは使えなそうね。やっぱり、ここは船の出番。ただし、この船は〝LNGタンカー〟と呼ばれるもので、普通の船とは随分違うの。さっきカイトが言ったことにも少し関係あるんだけど」

「え、僕が言ったことですか？　ガスは常温で気体、ってところでしょうか？」

「そう。船に積める体積には制限があるでしょ。だから**LNGタンカーで輸送する時は、天然ガスを液体にするの。これを〝液化〟っていうのよ。液化すると体積が600分の1になって、船での輸送も効率的に行えるし、日本に着いた後のタンクローリーや鉄道での陸上輸送、タンクでの大量貯蔵も可能になる**ってわけなの。

600分の1の体積になるってすごくない？　つまり、同じだけのエネルギー質量の天然ガスを気体のまま運ぶとしたら、体積は600倍になっちゃうってことよ！」

「そうか。液化することによって、輸送にかかる費用は相当効率化できるっていうことですね」

「船が使えれば、海底パイプラインにヒビが入ったりした場合の事故も防げるわ」

ラミとモコは、画面の前でパチパチと手をたたいた。

「では、天然ガスをどうやって液化するか分かる？」

少し考えてから、カイトが言った。

「あ、冷やすってことですか？　常温で気体っていうことは揮発しているわけだから、天然ガスの沸点よりも低い温度にする必要があるってことですね。それって何度ぐらいなんでしょうか？」

「マイナス162度よ。その温度まで冷やす必要があるの。気体である天然ガスをマイナス162度まで冷却して液体にしたものが液化天然ガス、つまりLiquefied Natural Gas（ナチュラルガス）で、その頭文字を取ってLNGと呼んでいるの」

エナジーはようやく、天然ガスとLNGの違いを説明することができて満足そうな顔をした。

「だけど、考えてみて。天然ガスを採掘してから、液化して、LNGタンカーで輸送して、最終的に使われるまでの道のりはとても長くて、相当にお金のかかるプロセスじゃない？」

「うーん、冷却の部分で相当な施設が必要となりそうですね」

「そして、液化したガスをLNGタンカーに積み込む。もちろんLNGタンカーの輸送中もずっとマイナス162度以下じゃないと蒸発してガスに戻っちゃうよね。そして長い航海をして日本の港に着く」

モコも想像している。

「港に着いたら、液体のままタンクか何かの中に入れて保管するのかな？　そうするとそのタンクもマイナス162度以下にしないとダメだね。そこから日本国内のさまざまな場所に運んでいく？　でも、ガスを使う時には、また気体に戻す必要があるのかな？」

ラミはお手上げ、という感じでエナジーの顔を見た。


3人の会話のリレーをエナジーは真顔で聞いていた。彼らが論理的推察を繰り広げていることに感心し、そして満足している様子だった。

「ラミ、いいところに気がついたわね。そう、液化天然ガスは使う時にはもう一度、気化してガスに戻す必要があるの。そのための施設も必要になるのよ」

「そう考えると、同じ天然ガスでも、パイプライン輸送なのか、LNG輸送なのかによって、全くそのプロセスや費用のかかり方が異なってくるんですね。この2つの種類の天然ガスは、機能は同じでも、全く別の製品のようですね」

カイトは、先人たちの英知と、それを可能にした技術に深く感動したようだった。エナジーも、モコも、ラミも、何度も大きくうなずいた。

天然ガスの２つの輸送方法
（パイプライン輸送、ＬＮＧ輸送）

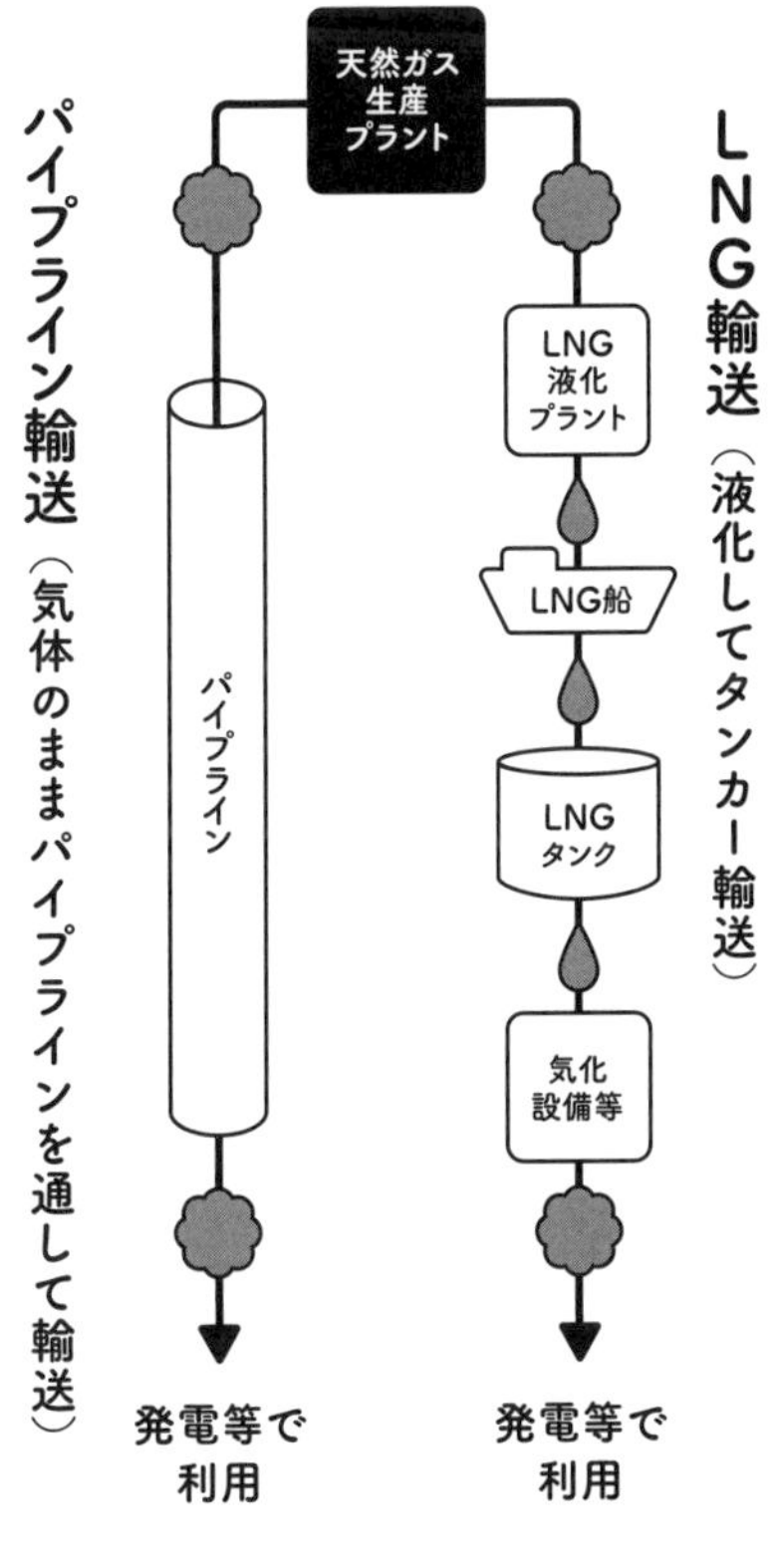

［出典］独立行政法人エネルギー・金属鉱物資源機構［JOGMEC］をもとに作成

「このＬＮＧができたおかげで、天然ガスの流通経路は多岐に広がったのよ。それまではパイプラインが届く範囲にしか天然ガスは輸送できなかったんだけど、ＬＮＧなら遠距離でも、海に遮られていても、輸送ができるようになったの。少し前までは、ＬＮＧという形で輸入していたのは、日本をはじめとする中国や韓国、台湾といった北東アジアの国々が主流だったんだけれど、最近では、欧州や東南アジア、インド、南米の国々でも輸入しているの。つまり、天然ガスは、ＬＮＧによって世界中に流通するエネルギー資源になったのよ」

「本当にすごい技術ですね。ところで、ＬＮＧの技術はどこの国が開発したんですか？」

カイトが興味深げに尋ねた。実は、この技術が日本発祥なのではないか？と期待していたのだ。

「残念ながら、技術そのものは欧米発なの。だけど、この技術を社会に定着させ、そして世界に広めたのは日本だと言えるわ。日本が本格的にＬＮＧの輸入を始めたのは１９６９年。東京ガスと東京電力が天然ガスを発電とガス事業に使うためにＬＮＧの共同供給システムを構築したの。これはね、液化するための冷却の技術があるだけじゃダメなの。採掘してから液化して、タンカーで運んで、港に着いて保管して、っていう一連のプロセスが全部かみ合っていないとうまくいかないわ」

「そういう意味では、ＬＮＧ全体の新しい輸送システムを作り上げたのは日本だといえるんですね！」

　カイトの目がパッと輝いた。

「その通りよ、カイト。これには、本当に多くの企業の技術や知識が必要で、人々が目標を共有して頑張ったからこそ出来上がったシステムだと思うの。そういうことは多分、日本人が世界中で一番得意なんじゃないかしら。そのおかげで、世界中の国々が天然ガスを使うことができる。これは、日本の誇りだと私は思うし、みんなにもそう思ってほしいわ」

　日本はエネルギー資源こそないけれど、技術や新しい輸送のプロセスを作ることで、世界に貢献できるんだ。カイトはそう思うと、とても誇らしかった。

　低く、静かな声で、ゆっくりとエナジーが言った。

「このＬＮＧがあったおかげで、あの時、日本は救われたのよ……」

格闘その④　原子力発電停止。ＬＮＧをゲットしろ！

「さぁ、旅を続けましょう。また、このグラフ、見てちょうだい」

　そう言いながら、さきほどの３つの円グラフ（ｐ97）を再び画面に投影した。

「今度見てほしいのは、一番下のグラフなの。これを見て気づいたことを教えてちょうだい！」

「じゃあ今度は、僕の番ですね。真ん中のグラフは２０１０年度のもので、東日本大震災の直前ということになります。この頃には、石油に依存しない体制を作るために、LNGや原子力を増やし続けていた時期と推測できます。そして一番下のグラフは2019年度。日本は震災と福島の原子力発電所の事故の影響を受けて、原子力発電所を停止したので、原子力が随分減っています」

エナジーは、静かに大きくうなずいた。

「原子力発電所が止まってしまった分の電力を、LNGを使った火力発電で賄った。だから、真ん中のグラフよりもLNGが増えているのね」

「あ、だからさっきエナジーは、LNGがあったおかげで、あの時、日本は救われた、って言ったのね！」

モコもラミも納得したようだった。

「そう。あの時、日本の電力会社、ガス会社、石油元売り会社や商社のエネルギー部門の人たちは世界中のエネルギー会社に連絡して、LNGが余ってたらすぐに日本に向けて出荷してほしいって交渉したのよ。震災の後しばらくは、いつ停電になってもおかしくない状況だった。日本全体が騒然とした何日間かで、本当に不安だったわ。でも、日本の政府も企業も夜も寝ずに頑張って、世界中からLNGをかき集めたの。そのおかげで、電力はなんとか復旧にこぎつけ、人々の生活も徐々にもとに戻ったわ。事故があった場所やその付近の復興はもちろん別の話だけどね」

カイトが、ハッと気づいたように言った。

「日本は石油依存から脱却しようとしてＬＮＧや原子力を取り入れた。エネルギーの多様化を図りましたよね。しかし、原子力発電所での事故が起こり、日本中の全ての原子力発電を一旦停止。不足する電力を、ＬＮＧを使った火力発電で賄ったというわけですね？発電に使うエネルギーは、再びＬＮＧと石炭に依存することになった。これは、正しいでしょうか？」

「その通りよ、カイト。福島の事故以来、日本のエネルギー供給構成は再びいびつな状態になってしまったわ。でも石油依存の時とは少し違う部分もあるわ。どこだか分かるかしら？」

ラミが迷いながらゆっくりと手を挙げた。

「えっと、多分、なんだけど。石油は中東地域１カ所に集中しているっていうリスクがあったけど、天然ガスや石炭は、比較的いろんなところにばらけて存在しているってことかな」

「よく気がついたわね！　だから、地域的な安全保障上のリスクは低いと言えるわ。だけどね……」

そう言いながらエナジーは深く大きなため息をついた。

「資源のない国、日本の運命は、一筋縄ではいかないのよね……」

格闘その⑤　どうする脱炭素化？

「人類が火を使うようになって、その数十万年後に産業革命が起こった。そこから今まで、私たちは常に炭素を燃やして、発電したり、輸送に使ったり、工場の機械を動かしたり、飛行機を飛ばしたり、もちろん家庭で使うエネルギーにしたりしてきたわね。その間、ずっと二酸化炭素を排出してきた。今、この段階で押さえておきたいことは、**地球温暖化の問題や気候変動リスクが、2015年頃から世界的な課題として認識されるようになってきた、**っていうことよ」

「あ、知ってる。パリ協定。学校で習った」

モコが手を挙げた。

「2015年にパリで開かれた国際会議、COP（コップ）21（p166）で、2020年以降の地球温暖化を防止する取り組みについて、それぞれの国で目標を決めようっていう約束をしたんだよね」

「僕もいろいろ調べました。例えばヨーロッパでは、二酸化炭素を出さない再生可能エネルギーに早くから力を入れていて、太陽光や風力発電がすでにたくさんあります。でもフランスなんか、原子力大国と言われていて、日本での事故があっても原子力発電を減らしていませんよね。原子力は二酸化炭素を出さないこともあって……。日本が今すぐに脱炭素化して二酸化炭素の排出を減らすのは簡単なことではないように思います……」

「そうね。原子力発電が止まり、日本が再び化石燃料に大きく依存せざるを得ないタイミングで、世界から脱炭素化を突きつけられたのは、本当にチャレンジングだと言えるわね。でも、日本には苦難を乗り越えて新しい未来を築く知恵がある。技術がある。そして力を合わせて協力できる人々がいるわ。脱炭素化は難しいけれど、脱炭素時代の新しい社会の在り方を政府も検討して、GX基本方針（p170）、という施策にまとめて国を挙げて未来に向かおうとしている。日本が置かれている状況はいつだって楽じゃない。だけど、いつだって乗り越えてきたわ。今度もね、私には、希望の光が見える。この旅を通じて、みんなにもその光を見てほしいと思っている」

難しそうな表情だったエナジーは、いつの間にか柔らかい微笑みを浮かべていた。

「今日の対話はこれでおしまい。みんな、お疲れさま。またね！　アスタ　ルエゴ！」

優しく3人の顔を見回しながら右手を左右に小さく振り、バイバイをしたかと思うと、オンラインミーティングが終了した。

「う〜、濃いよ〜」「ものすごく濃かったよ〜」3人は心底〝お疲れさま〟だった。


【＊1】停電時間の国際比較／数表でみる東京電力／東京電力ホールディングス株式会社（tepco.co.jp）

対話3　まとめ

・日本のエネルギー自給率はたったの11％。エネルギー資源の実に89％を海外の国々に依存している。にもかかわらず、日本の停電時間は世界一短い。

・エネルギー供給を切らさないための、政治や外交、国内供給システム向上のための努力を、エネルギー安全保障という。

・エネルギーを毎日問題なく使うための、大事な4つの要素は、『S＋3E』。Safety（安全）、Energy Security（安定供給）、Economic Efficiency（手頃な価格）、Environment（環境に優しい）。これら4つの要素を同時に成立させることは容易ではない。

・1970年代の石油ショックを経て、エネルギーの安定供給が、国の経済や将来に影響を与える最重要課題だということを国民全体が認識し、この後、石油依存から脱却するために、液化天然ガスや原子力の比率を増やし、エネルギー源の多様化に取り組んだ。

・パイプラインを使って輸送されていた天然ガス（Natural Gas）は、日本が完成させたプロセスによって、LNG（Liquefied Natural Gas　液化天然ガス）という新しい形態になった。液化することによって、ガスの体積は600分の1になり、長い海路を船で効率よく輸送できるようになった。

・2011年の福島の原子力発電所の事故を受けて、原子力発電が停止され、その後の発電に使うエネルギーは、LNGと石炭に大きく依存することになった。

・2015年頃から、地球温暖化の問題や気候変動リスクが世界的な課題として認識されるようになった。日本が再び化石燃料に大きく依存せざるを得ないタイミングで、世界から脱炭素化を突きつけられ、日本にとっては厳しいチャレンジとなった。

対話4

化石燃料はワルモノか？

1　ラミ、たそがれる

　夕方のラミの日課は、飼い犬のフラッフィの散歩だ。今日も日が暮れてしまう前に、フラッフィの首輪にリードを付け、引っ張られるようにして、いつもの散歩道へと出かけた。フラッフィはピレニーズ系の雑種で、真っ白な長い毛に覆われている。ラミが小学校低学年の時に家族になった。もう成犬なので、体重は13歳のラミと同じぐらいか、それより少し重いかもしれない。穏やかな性格で、兄弟のいないラミにとっては、おっとりしたお兄ちゃんのような存在だ。

　散歩道の途中から山の方に目をやると、集中豪雨で崩れた山肌が、まだそのままになっているのが見える。ラミは、先へ先へと進もうとするフラッフィのリードを強く引っ張りながら、「フラッフィ、ちょっと待って」と言って立ち止まった。向こう側に見える災害の爪痕を眺めながら、あの日の騒然とした様子を思い出していた。

　もう二度とあんなことが起こらないようにしたい、そのためには、どうすればいいのかな……。学校で習ったように、本当に地球温暖化や気候変動のせいなら、すぐにでも二酸化炭素を排出する化石燃料をやめた方がいいんじゃないかしら？　でも、私たちの生活は、化石燃料に支えられているものも多いってエナジーが言っていた。今の生活の便利さや豊かさを手放すことはなかなか難しいし、一体どうすればいいのだろう？

フラッフィが待ちきれずにグイッとリードを引っ張る。ラミは転びそうになる体を一瞬手前で立て直した。

「ごめん、ごめん、フラッフィ。そろそろおうちに帰ろうね。お腹すいたよね」

夕日が山の向こうに沈み、深い青が立ち込める空に浮かんだ雲を、下から赤く照らしていた。

2 日章丸の大冒険

エナジーとの対話は、珍しく週末の土曜日午前中にセットされていた。3人は、それぞれ朝ごはんを終え、パソコンの前に座り、オンラインミーティングの開始を待っていた。

少しするとパソコンの画面に広く大きな海が映し出された。どこかの浜辺からスマホのカメラで映しているんだろうか。キラキラと光る海。そして遠くには水平線が広がっている。大きな海を映した画面の背後から、いつものあの声が聞こえた。

「オラ～チコス！　ブエノス　ディアス！　みんなー、おはよう！」

いつにも増して元気で陽気なエナジーの声は、かなり近くに聞こえる。

「おはよう、エナジー。私たちも元気だよ。ところでそこはどこの海なの？」

モコは、エナジーの居場所を突き止めたくてたまらずに尋ねた。

「今ね、スマホで撮ってる動画を共有してるんだけど、見えてる？」

その時、画面の右側から大きな船がゆっくりと進みながら入ってきた。

どうやらものすごく長くて、大きな船のようだった。

「石油タンカー？」

カイトが自信なさげに尋ねる。

「そうよ、カイト。このタンカーはね、5代目日章丸（にっしょうまる）という名前なの」

エナジーは、スマホの画像を右手の人差し指と中指で広げて、シーバースに近づいてくる日章丸にズームした。

「私は今、東京湾にある京葉（けいよう）シーバースを見学するクルーズ船に乗っているの。千葉県にある〝千葉みなと〟っていうところから出ているクルーズの1つよ。クルーズ船の上から、この映像をみんなに送っているってわけ」

「エナジー、ちょっと待って。シーバースってなんですか？」

「あ、ごめん、ごめん。シーバースの説明ね」

「お願いします！」

3人の元気な声がそろったので、エナジーがクスッと笑った。

「産油国や産ガス国から、原油やLNG（液化天然ガス）といった液体の貨物を積んだ大型タンカー船が日本にやってくるでしょ。大型タンカー船って船底も深いのよ。満タンの原油やLNGが積まれているから、船はその重さで下に沈んでいるの。そもそも船自体が大きい上に、それが下に沈んでいるので、底の浅い港の岸壁には接岸できないの。船の底が海底につっかえちゃうからね。そういう場合には、水深の深い海の上に、船をつないで泊めておく係留施設っていう場所を作って、そこで原油やLNGの荷下ろしをするの。その係留施設のことをシーバースというのよ」

「なるほど。そのシーバースから陸上にある製油所まで、パイプラインが敷かれていたりするんですか？」

「そうなの。この京葉シーバースは30万トン級タンカーを2隻同時に泊めて荷下ろしすることができるの。そして、海底を通るパイプラインが京葉工業地域内にある4カ所の製油所につながっているのよ。その製油所で精製を行って、それからタンクローリーに載せられて、さまざまな消費地へと運ばれていくってわけ」

「へぇ。それじゃ、東京やその近辺で使われるガソリンやLNGは、まずはここで荷下ろしされるってわけですか？」

「そうね、だいたいそういう理解で正しいわ」

「ふーん。そうなんだ。で、今日は私たちにそのシーバースを見せてくれたのね！」

京葉シーバース

〔出典〕会社案内｜京葉シーバース株式会社 (keiyo-sea-berth.co.jp) をもとに作成

「まあ、それもあるんだけど、実は見せたかったのは、この大きな船の方。5代目日章丸という名前の石油タンカーよ。今日、土曜日の午前中に対話をセットしたのも、ちょうどこの時間に日章丸がここで荷下ろしするのが見られる、という情報をゲットしたからなの」

「この船って、何か特別な船なの?」

エナジーは両手を上に高く伸ばして万歳をした。

「よくぞ、聞いてくれました! そうなの。この船、正確には、この船のご先祖さまである2代目日章丸にまつわるお話から、今日の対話を始めたいんだけど、みんな、準備はいいかしら?」

「オッケー!」

3人は両手で頭の上に丸を作った。

エナジーは、シーバースに停泊して原油を下ろす日章丸をスマホで映した。

「日章丸は、出光興産(いでみつこうさん)という会社が所有している石油タンカーで、初代は1938年に竣工されたの。今、映っている5代目は2004年に竣工したものよ。だからもう19歳か20歳ぐらいね。今日の主役は2代目日章丸よ。時は1953年までさかのぼるわ」

エナジーは一呼吸おいた。

「第2次世界大戦という大きな戦争があったのは知っているかしら。日本は、アメリカやイギリスなどからなる連合国に対して降伏し、敗戦。苦しい戦後の時代を迎えたの。1953年はちょうど戦後と言われる時代の真っただ中で、日本は貧しかった。けれど同時に、経済の復興も徐々に始まっていたわ。三種の神器としてみんなが欲しがった電化製品の話は覚えてる？」

「冷蔵庫、洗濯機、それにブラウン管のテレビ！」

「そうそう。それがはやり出した頃がちょうど1950年代。貧しかったけれど、さまざまなものが作られていった時代ね。つまり、機械を動かしたり、輸送用の石油燃料の需要がどんどん増えていったりした時代。だけど、第2次世界大戦後の日本はアメリカの占領下にあって、主権を回復した後でも、アメリカや、同じく連合国側のイギリスとの同盟関係という名の下、自由に石油を輸入することはできなかった。

石油って、それだけ国家が発展するために必要なものだったから、アメリカやイギリスは中東などの産油国での石油採掘や精製にたくさん投資をして、それをどの国に売るかをコントロールしたの。だから、日本は経済成長に必要なだけの原油が十分に調達できなくて、それが経済復興や発展の障害となっていたことは間違いないわ」

3人にとって、第2次世界大戦は遠い昔のことだ。毎年8月の終戦記念日や、広島や長崎に原爆が落とされた原爆の日にテレビで特集をやっているのを見るけれど、どこか遠くの国のことのように感じてしまっていた。

「世界の石油は、〝石油メジャー〟と呼ばれる世界的な大手石油会社に牛耳られていたの。日本に輸入できる量は制限されていた。そんな中、今も存在している出光興産という会社の創始者、出光佐三(いでみつさぞう)が、イランから石油を直接売ってもらう独自ルートを考えたの」

「どうしてイランなんですか?」

「イランは産油国なんだけど、イギリスの石油メジャーであるアングロ・イラニアン社に支配されて、自国の石油を自由に他国に売ることができなかったの。それに対してイランが石油の国有化、つまり、イランの石油はイランのものです、イギリスの自由にはさせません、って宣言をしたわけ。イギリスは怒って、イランを訴えた。つまり、イランは石油はあるけど、自由に売らせてもらえないという状況にあったの」

「敵の敵は味方、ってことかな。連合国に石油を振り分けてもらえない日本と、連合国の1つであるイギリスに石油を売らせてもらえないイラン」とカイト。

「そういうこと。少なくとも日本とイランの利害は一致していた。でもね、イギリスがやすやすとそれを許すはずがないわね。イギリスはなんと! 艦隊を派遣して、イランから原油を輸出する時に通る航路を封鎖したの」

エナジーが深刻な表情で言うと、3人は騒然とした。

「え? 戦争? 軍隊を派遣したの?」モコは驚いて言った。

「そうよ。そもそも第2次世界大戦という戦争は、石油争奪戦争だったと言われているくらいなの。つまり、石油を制する国が世界を制する、っていうぐらい、石油は国の力を決定づける要素だったということね」

化石燃料の石油に、世界が熱狂し、そのために世界を巻き込んだ戦争になったというのだから、まさしくエネルギー戦争だ。

「で、出光佐三さんは、自分の会社で販売する石油を売ってもらうために、イランに石油をもらいに行くことにしたの。その時に使ったのが、2代目日章丸。イギリス軍に見つからないように、出航する時は船員にも行き先がイランであることを伝えなかったのよ。途中で航路を変更して、イランのアバダン港に向けて航行し、港で原油を積み込むと日本に持ち帰ってきた、というわけ。まさに命がけね」

するとモコが、言った。

「へぇ。私たち13歳が物心ついた頃から、石油は二酸化炭素を排出するワルモノみたいに扱われてたし、グレタちゃん【＊1】が石油会社は自分の儲けしか考えずに、私たちの世代が生きる将来の地球環境を破壊してる！って主張するのを聞いたりしているから、石油はダーティ、石油はワルモノっていうイメージを持っていたけど、そうじゃない時代もあったんだね」

「石油そのものがワルモノっていうわけじゃない。人類は、石油がなかったら今の生活水準も便利さも、きっとなかったと思う。だから、これからの社会を考える上でも、これまで石油が私たちに何をもたらしたか、その光の部分も影の部分も、両方ちゃんと知ることが大事だと思うの」

見学のクルーズ船がちょうどコースを終了し、港に入ったので、エナジーはカフェに移動するためにカメラを切った。

エナジーの画面が落ちている間も、3人はどこか興奮していた。

「私ね、今まで学校で勉強する歴史とか地理とか社会とか、あんまり好きじゃなかったんだよね。意味を考えずに単語だけを覚えなきゃならない気がして、実感が湧かないっていうか。でも、そういうことが少しずつ身近に、実際の生活に関係しているって感じるようになってきてる。2人はどう？」

そう尋ねるモコに、2人は大きくうなずいた。

「そうだね。エネルギーの話を聞いていると、むしろそれを中心に社会が変化し、そして歴史が作られているようにさえ感じるよ。エネルギーっていうキーワードでつながっていくものが多い。今まで単なる知識だったけど、頭の中で世界が回り出してる感じだなぁ」

「私はやっぱりエネルギーが環境に与える影響や、どうしたら地球環境を将来も守れるかってことをもっと知りたい。そのためにも、過去がどうだったかを知らなきゃいけないんだって、今はそう思ってる」

ラミの顔は真剣だった。

そうしているうちに、エナジーがドリンク片手に戻ってきた。

3 アレもコレもソレも、ぜ〜んぶ石油でできている

エナジーはアイスラテを紙コップから一口飲んだ。ラミが聞いた。

「エナジー、ストローは使わないの？」

「うん、必要ないから。それにここは、プラスチックストローしか置いてなかったから。

さて、今日の主題は、〝化石燃料の光と影を巡る旅〟よ。石油はガソリンや動力エネルギーとしての用途の他にも、石油製品として私たちの生活の中にとても多く存在しているのを知っているでしょ？」

「それって、エナジーがストローを使ってないことにも関係あるよね？」

「ビンゴ！」

エナジーは指を鳴らした。

「石油を精製すると、ガソリンや灯油、軽油、重油の他に、ナフサというものができるの。ナフサは、さらにいくつかの精製工程を経ることで、石油化学製品であるエチレン、プロピレン、ブチレン、ブタジエン、ベンゼン、トルエン、キシエンとなって、プラスチック製品や繊維製品、ゴム製品、塗料や工業製品、合成洗剤や食品包装材として私たちの生活の中で役に立っているの。本当に私たちの暮らしは石油化学製品で溢れているわ。バケツも、食品の包装材も、洋服も靴も、家電やスマホ、パソコンやオーディオ機器、自動車の内装や塗装剤、住宅の部材等、数え上げたらきりがない。今の私たちの生活が便利なのも、さまざまな製品が手頃な値段に抑えられているのも、みんな石油化学製品のおかげ。だけど……」

「だけど、それらを作る過程で二酸化炭素が出るのね」

モコの声はちょっと震えていた。

「そうよ。さらに悲しいことには、安い値段の石油化学製品、特にプラスチック製品は、大量に捨てられて、大きな環境問題になってるよね。プラスチックは自然のままでは分解されないの。海に流れていって海洋汚染問題になったり、海で砕けて小さくなったマイクロプラスチックを、ウミガメとか魚とか、海鳥までが食べたりして、海洋生物にも被害が出てきているの」

「ここにも化石燃料の光と影が存在するわけですね。マイクロプラスチックは回りまわって、人間の健康にも大きな害を及ぼすと聞いています」

カイトは深いため息をついた。

4 ガンバレ、製鉄業界の人

エナジーの話は化石燃料で発展した製鉄産業に移っていった。

「18世紀に産業革命が起こる切っかけとなったのが、ジェームズ・ワットの蒸気機関だったわね。それと並行して、急速に発達したものがもう1つあったの。それが製鉄産業（p30）。製鉄産業はまず、採掘した鉄鉱石を高温の炉にくべて溶かすことから始めるのだけれど、最初は木炭を燃料としていたの。でも、徐々に木炭が少なくなったので、石炭に置き換わっていったわよね。だけど、石炭は重くて、炭鉱から高炉まで運ぶのが大変だった。そこで登場したのが蒸気機関車。石炭の大量輸送が可能になり、石炭が燃料として使われるようになったの。

ところが石炭には、硫黄やコールタールなどの不純物が含まれていて、高炉にくべると鉄が変質してしまうという欠点があった。そこで石炭をまず、高温で蒸し焼きにすることで不純物を取り除いたコークスにして、これを使うことにしたのね。でもね、残念ながら、**コークスを作る段階で二酸化炭素が大量に排出されるの**」

エナジーは、はぁ、と画面の向こうで大きなため息をついた。

「一方、コークスによって鉄の品質は良くなった。これに加えて、それまで高炉の動力として使われていた水車を蒸気機関に替えたことで、鉄の生産力が大幅に向上したの。**18世紀から19世紀にかけて起こった産業革命の中核にあったのは、蒸気機関の発明と製鉄技術の向上**と言っても言いすぎではないわ。そしてその工程は、今でも変わらず続いている。**今も鉄鋼会社は、コークスを使って高炉を焚いているの**よ」

「エナジー、今でも石炭やコークスをたくさん使って鉄を溶かしているって本当？」

「ラミ、そうなの。本当よ。鉄を溶かすには、高炉の温度を2000度まで上げなければならないのだけれど、それだけの熱量を出す燃料を大量に使うという意味では価格が安い石炭は都合がいいのね。二酸化炭素が大量に排出されることを除けば、ね」

カイトが別の質問をエナジーに投げかけた。

「でもエナジー、鉄はこれからも必要でしょ？　建物や橋やその他、街のそこら中に鉄が使われていますよね。今までと同じく石炭やコークスを使った高炉を使い続けることは難しいんじゃないでしょうか？」

「その通りよ。だから製鉄業界の人々は、石炭の代わりに、水素を利用して鉄を作る水素還元法（水素製鉄法）を開発している、と聞いているわ。コークスは、燃やすとコークスの炭素が鉄鉱石の酸素と結びついて二酸化炭素を大量に排出するけれど、水素は酸素と結びついても水になるだけだからね。ほら、こんなふうに」

エナジーは、画面共有で1つの図を見せた。

水素製鉄法のイメージ

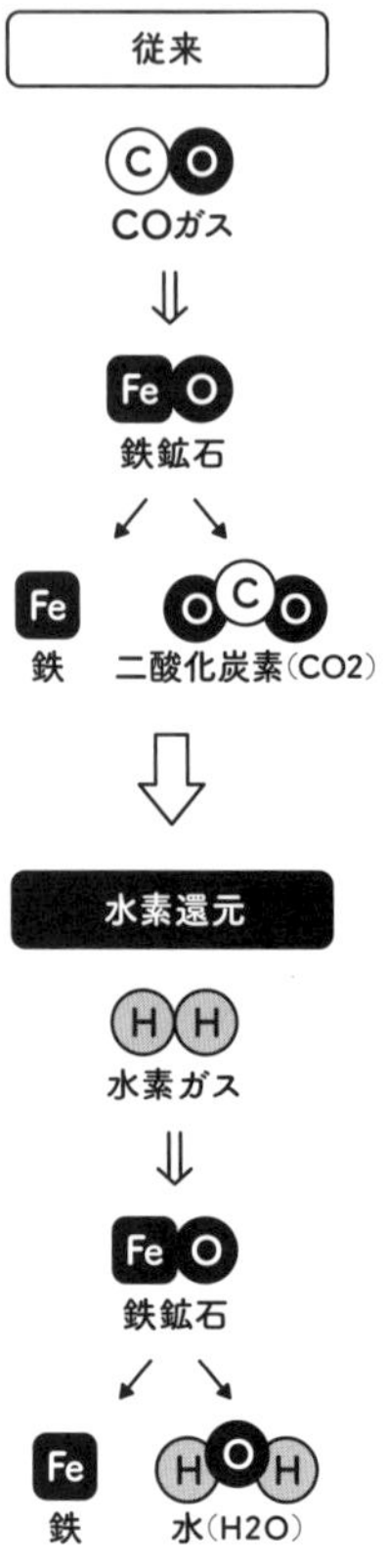

従来

C O
COガス
⇓
Fe O
鉄鉱石
↙ ↘
Fe 鉄　O C O 二酸化炭素（CO2）

⇩

水素還元

H H
水素ガス
⇓
Fe O
鉄鉱石
↙ ↘
Fe 鉄　H O H 水（H2O）

［出典］水素製鉄法とは　石炭の代わりに水素利用、ＣＯ２削減／日本経済新聞　２０２２・12・11（nikkei.com）

「産業革命以来の発展という光があると同時に、その裏側にできてしまった影が存在する。

でもその影を、新しい技術によって克服しようと努力している人たちがいるってことを知ってほしいな」

3人は大きくうなずいた。

5 電力のバトンリレー

「最後に、電力と化石燃料の関係について話しましょう。電気って人が手を加えなくても、自然界にも存在するでしょ？　例えば、空気が乾燥している冬とか、髪の毛が逆立っちゃったりするじゃない？　あれ、何？」

「あ、静電気！」

「雷も電気が起こす現象ですね」

「そうなの。だから電気は、人が発明する以前から存在していた。さまざまな自然現象を研究して、人の力で電気を起こそうと人類が試みたのが18世紀頃のお話。いろんな人がいろんな研究をして、自然界の静電気をためることができる瓶を発明したり、凧をあげて雷の電気を集めてその瓶にためたり、食塩水に銅と亜鉛を浸すと電気が発生することを発見したり」

「その頃の人たち、とことん追究していったのね。なんだか、その意欲がすごい」

ラミは感心しきりだった。

「確かに」

腕組みをしながら、モコとカイトもうなずいた。

「さて、電力に関しては飛躍的な発見となったことがあったのよ。デンマークのオーステッド（エルステッド）という物理学者が、電気が流れると磁気が発生することを発見したの。オーステッドの名前は、世界最大級のデンマークの再生可能エネルギー会社の名前となって今も残っているわ。

その発明を引き継いで、今度はイギリスの物理学者ファラデーが、電気が流れると磁気が生じるなら、磁気から電気を生むこともできるんじゃないか？と考えたの。それによって初めて、電気を、〝モノを動かすエネルギー〟として使う時代に突入したわ。

さらに、この考えを実用化したのが、ベルギーのグラムという電気技術者だった。グラムは発電機が電動機、つまりモーターにも応用できることに気がついたというわけ。簡単に言うと、発電機はモーターが回転するエネルギーを電気エネルギーに変換するんだけど、それを逆にすれば、電気エネルギーを回転エネルギーにできるんじゃないか？ってこと。つまり、電気エネルギーを動力として使えるんじゃないか？と思いついたのよ。これが

1873年ぐらいの話」

そこまで話すと、エナジーは一呼吸おいて続けた。

「この頃の面白いところは、電力についていろんな人が異なる国で研究をしていて、それぞれが個別に新しいことを発見すると、別の人がそれを1歩先に発展させていっているってこと。リレーみたいに、どんどん先につながっていく。とても興味深いわ」

「今のように通信ネットワークがあったわけでもないのに、どうやったんだろう、と不思議に思います。この時代の人たちは本当に貪欲に世の中を進歩させたいと思っていたんでしょうね」とカイト。

「そうよね。きっとそうなんだと思う。そこで次のバトンを受け取ったのがエジソンってわけ。発明家のスワンが発明した電球を改良して、長時間灯し続けることができる白熱電球を開発した。エジソンといえば、電球って誰しも思うわよね。でもエジソンの本当にすごいところはね、この白熱電球を使って、〝24時間明るい暮らし〟をモットーに、電力供給システムの整備に乗り出したこと。そのために必要な電力を生み出すための発電所、電力を届けるための送電網など、インフラ設備だけではなく、電力の使用量を各家庭で測るためのメーター、安全性を高めるためのヒューズ、電気器具ごとにオン・オフできるようにするスイッチ、壁に埋め込むコンセント、送電線への接続ボックス、そういった今でも使われている電気設備の数々を開発したのよ。つまり、今私たちが知っている電力供給事業の形を確立させたのは、エジソンさんってことなの！」

「えーっ！　そうなんだ。全然知らなかった」

　モコは驚いた。

「そして、1884年にイギリスの技術者のパーソンズが、蒸気タービンを発明したの。蒸気タービンは蒸気が持っているエネルギーを羽根車と軸を介して回転運動エネルギーへと変換させる外燃機関のことよ。この羽根車のことをタービンというの。こんな仕組みになっているのよ」

　エナジーは画面共有して、3人に1枚の図を見せた。

「でね、問題はここ」

　火が描いてある部分にカーソルを移動させた。

「蒸気をつくるために、水を熱する必要があるでしょ。その火を燃やすのに石炭が使われたの。この図は基本的な火力発電の仕組みよ。火を焚いて、水を水蒸気にして、そのエネルギーをタービンに当てて、軸を回転させて電力エネルギーに変換する仕組み。これは、燃料が石炭でも、ガスでも、使われる量は少ないけど、石油でも同じことよ。この頃はほとんど石炭が使われていた。そして実は今でも、**世界の電気の6割以上が石炭、天然ガス（LNGを含む）、そして石油といった化石燃料からつくられている**の。つま

火力発電の仕組み

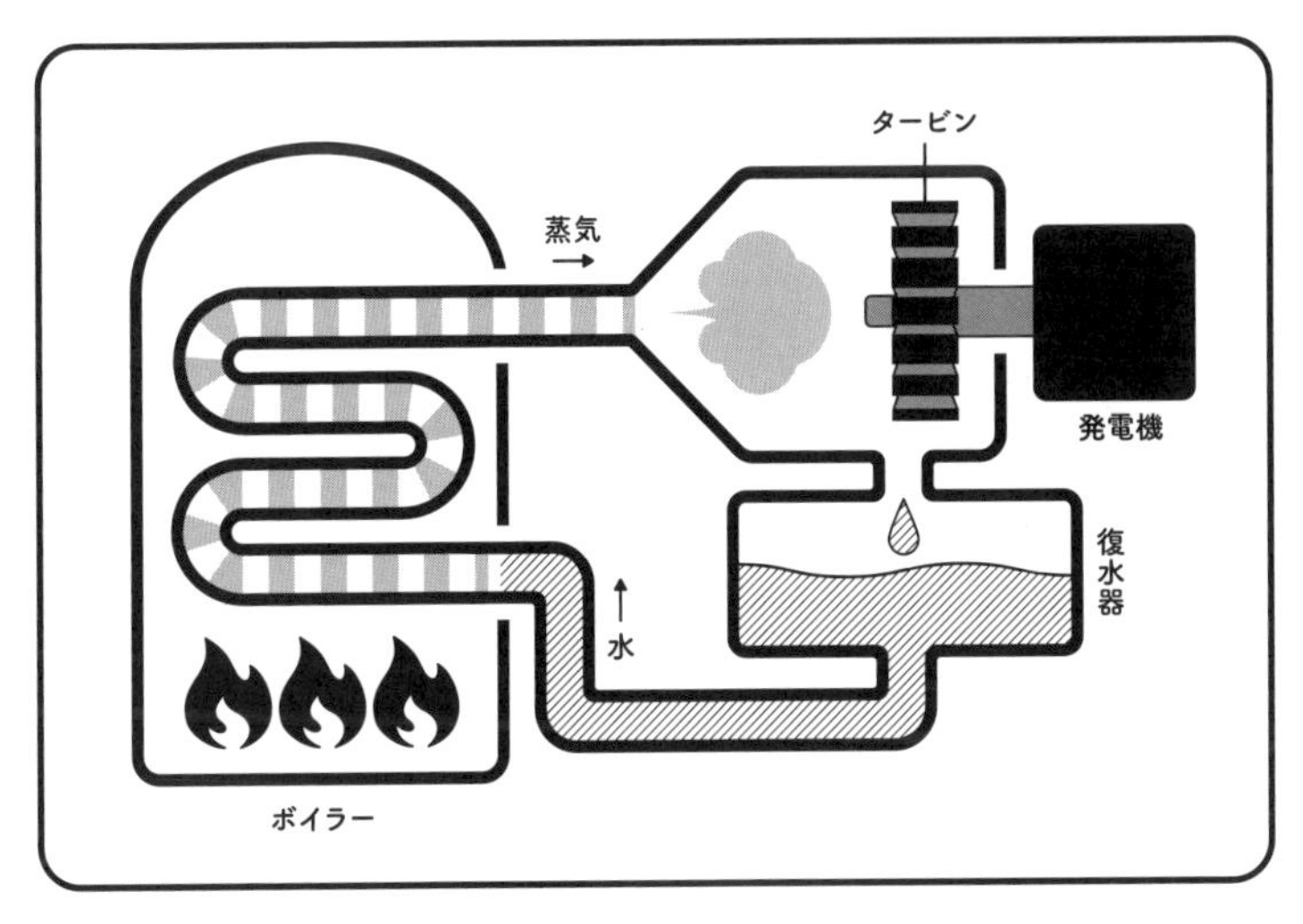

〔出典〕日本原子力文化財団「原子力・エネルギー図面集」をもとに作成

り、このまま化石燃料を使った発電を続ければ、二酸化炭素の排出量は増え続ける、ということになるわ。先進国の成長はすでに鈍化したけれど、まだ経済成長している途上国では、ガスや石炭が多く使われているの。

再エネや原子力といった二酸化炭素を排出しない発電方法もあるけど、それらが途上国で広く利用されるようになるまでには時間がかかるわ。将来の望ましい状態まで、どのように移行していくのか、を考える必要があるわね」

6 経済発展はいいことばかりじゃなかったナ

「モコやラミ、カイトは21世紀に入ってから生まれた世代だけど、ここまでの石油や、石油をベースにした産業革命、経済発展の話を聞いて、どう思った？」

まず最初にモコが手を挙げた。

「20世紀は石油によって、大量生産ができるようになったし、長距離の輸送や移動もできるようになって、経済がすごく発展した。それまでの世界とはまるで様変わりしたみたい。私たちにとっては、みんな当たり前のことだけど、それらが始まったのは、全て20世紀だった、つまり、結構最近のことなんだね。とっても意外だった」

次にカイトが言った。

「同時に、多くの新しい技術も開発された時代だったと思います。発電の仕組みや、基本的な電力供給の仕組みもこの時代にできていたなんて驚きでした」

「20世紀は、経済の発展とか、利益を大きくするとか、そういうことが素晴らしいという価値観だったように感じるわ。だけどそれは、公害とか、地球温暖化とか、経済格差とか貧困とか、そういう負の面【＊2】もあるっていうことにあんまり気づいてなかったのかな。

それとも気づいていたけど知らんぷりして、経済発展を優先したのかな？　でも、発展はいいことばかりじゃなかった……」

ラミは少し下を向いた。

「でも今感じていることは、石油や石炭、その他の化石燃料がワルモノなんじゃなくて、私たち人類が、そういう燃料や資源との付き合い方を変えていくことが必要な時期にきているということ。今は、そう思っているわ」

ラミは静かに、しかし、しっかりとした口調で言った。

「よーし。じゃ、次の対話では、地球温暖化と脱炭素にまつわる問題や、私たちがこれから何をすればいいのか、について掘り下げる旅をするわよ！　じゃ、アスタ　ラ　プロクシマ！　また次回ね～」

午前中から始まったミーティングが終わったのは、ちょうどお昼ごはんの頃で、３人のお腹はグーッと鳴っていた。

【＊1】グレタ・トゥーンベリ。スウェーデンの環境活動家。２０１８年、15歳のグレタは毎週金曜日、学校を休んで気候変動対策の必要性を訴える活動を1人で始めた

【＊2】経済活動が自然環境など外部に対して不利益をもたらすことを「外部不経済」という

対話4　まとめ

・石油需要が増えた要因には、いくつかの技術の発展が関連している。エンジン（内燃機関）や、石油以外の石油製品、製鉄業や発電で使われる化石燃料などが石油需要の増加を促した。

・20世紀は、経済の発展や利益の拡大といった価値観が重視されていた。それらは化石燃料によって支えられていたが、化石燃料の多用がもたらす負の側面については今ほど重視されていなかった。

・石油や石炭、その他の化石燃料が悪というよりは、人類が、燃料や資源との付き合い方を変えていくことが必要な時期にきている、ということだ。

対話5

人類の危機、地球温暖化を食い止めろ

1 カイト、地球と二酸化炭素を調べる

エナジーとのエネルギーを知る旅を始めて以来、カイトの頭の中では、2つのことが同時に起こっていた。

1つは、好奇心のおもむくまま調べてきた断片的な知識が、つながりを持った事象として見えてきたこと。偶然と思えるあらゆる出来事にも、それが起こる必然の背景があり、さまざまな努力や技術の積み重ねで克服されてきたことが、くっきりとした映像として浮かぶようになっていた。

そしてもう1つは、大きな疑問。今、社会や人々が「問題だ!」と言っている地球温暖化の正体が、ホントは一体、何なんだろう?というものだった。確かに夏の気温は年々上がっているようではあるけれど、それは本当に地球の温度が上がっているっていうことなのか? それは本当に二酸化炭素の量と関係があるのか?

もちろん、世界中の偉い人たちが、それは問題だって言っているし、温暖化防止対策や脱炭素化を世界中で協力してやっていこう、と声を合わせている。だけど、カイトの性格上、自分が調べて、考えて、納得したい。そうしないと腹落ちしない。もやもやしたもの

がずっと頭の中に、厚い雲のように立ち込めて、カイトが前に進もうとするのを阻んでいる。

エナジーとの対話を終えた土曜日の午後、カイトはパソコンの前に座り、ネットを駆使して温暖化について猛然と調べ始めた。大事なページにはブックマークを付けながら、ネットサーフィンをしていると、時間が過ぎるのを忘れてしまう。

気がつかないうちに、少しだけ開いていたカイトの部屋のドアを鼻先でチョイッと押して、子猫のポアロが入ってきた。ポアロは生まれてまだ半年と少しぐらいらしい。らしい、というのは、ポアロは近所の保護猫施設から来た子だからだ。カイトを心配したお母さんが、引き取ってきたのだ。黒い毛の雑種で背中の毛だけ少し長い。人懐っこい女の子でカイトによく懐いている。カイトが、ふと後ろを振り向くと、ポアロがベッドの上でお腹を上に向け、大きな伸びをしたところだった。不登校になってから、あまり笑わなくなったカイトだが、この姿には思わずクスッとしてしまう。

「ポアロ、もうちょっと待ってて。あと少しで終わるから」

もう少しで、地球温暖化って一体なんなのか、カイトなりに理解できそうなところまできていた。

次の日も、調べ物は続いた。その甲斐あって、少しずつだが見えてきたことがあった。カイトが突き止めたのは、地球では一定量の炭素が循環している、ということだ。

「炭素（C）は元素。この元素は他のさまざまな元素と結びつく性質を持っている。炭素とさまざまな元素が結びつくことによって、炭水化物、脂質、タンパク質といった、僕たちの生命を維持するのに必要な栄養素ができる。みんな炭素化合物なんだな」

ブツブツと独り言を言いながら、ノートをまとめていた。モコとラミにも見せてあげようなんて思いながら。

「そもそも炭素は二酸化炭素（CO_2）の形で大気中に存在している。植物は大気中の二酸化炭素と水から、光合成によって炭素化合物を合成して酸素を吐き出す。光合成は理科で勉強したぞ。次に、動物は植物を食べて、その栄養分、つまり炭水化物とかタンパク質を体の中に取り込む。そして呼吸をすることで二酸化炭素を吐き出す。そうすることで、植物が取り込んだ炭素を、もう一度大気中に戻しているんだ。つまり僕たちも、動物たちも、ポアロも、呼吸をすることで二酸化炭素と水を大気中に戻しているんだ……。でも息をしないってわけにはいかないからな……」

困ったぞと思ったが、先に進めばそれに対する答えがあるはずだ。

「動物も植物も命を終えると、その体は長い時間をかけて微生物によって分解され、水と二酸化炭素になって再び大気中に戻っていく。海にいる植物プランクトンも植物と同じように光合成をする。それによって酸素ができる。動物プランクトンが植物プランクトンを食べて、さらにそれを魚が食べる。魚も命を終えると海底に沈んで、最後には水と二酸化炭素に戻る。なるほど、なんだか分かってきたぞ。地球上の生命体は、その命を循環させ、それによって炭素を循環させているっていうことかな」

カイトは頭の中で自分なりの推理をし始めた。

「もう1つあるぞ。大気中の二酸化炭素は冷たい水によく溶ける。海水に溶けた二酸化炭素は何千年もの間、海底に閉じ込められ、ゆっくりと時間をかけてもう一度海面から大気中に戻ってくる。へぇ〜」

カイトは、地球上の生物の命とその循環の事実に触れ、自分の存在の不思議さを感じていた。

「僕は心を持った1人の人間であり、それと同時に、地球という星の中で、炭素の循環を担っている一部分でもあるんだな」

壮大なような、空しいような、両極端な感情を1人では整理できそうになかった。

「次の対話の時に、エナジーやみんなと話してみよう」

カイトは両手を上に伸ばして深呼吸をした。その時、小さくて柔らかいものが足にまとわりついてきた。ポアロを片手で抱き上げ、自分の鼻先をポアロのお腹にうずめて、モフモフッとした。

「ポアロ、おまえって小さくて、クニャクニャだな。でも、そんなおまえでも、二酸化炭素を出してるんだぞぉ。俺たち、同類だな。フフ」
窓の方に目をやると、閉め切ったカーテン越しに、外が少しずつ明るくなっていた。

2 やけどを負った野生動物たち

昼過ぎまで寝ていたカイトは、メールの着信音で目を覚ました。エナジーから次回の対話の日時と接続情報が送られてきたのだ。モコとラミにも同時にメールが送られているはずだ。カイトは起き上がって、昨日まで調べて分かった〝地球上の炭素の循環〟についてまとめたものをモコとラミに送った。

そしてエナジーには、同じものと、自分が疑問を持ち始めたことを送った。「なぜ二酸化炭素が増えすぎると、地球の温度が上がるのか?」について。

エナジーとの約束は金曜日の夜7時だった。3人はそれぞれ夕飯を終えて、急いで自分たちの部屋のパソコンを立ち上げた。時間ちょうどにエナジーの画面がオンになった。またもや、エナジー本人の姿が見当たらない。

画面に映ったのは、高い天井と全体的に白っぽい空間。今日は室内にいるようだ。けれどその場所は、ホテルの部屋のようにもカフェの片隅のようにも見えなかった。病院？え？　エナジー、何かあったの？　３人はとても心配になった。

「エナジー、大丈夫なの？　姿を見せて」

「オラ〜チコス！　エストイ　アキ　私はここよ〜」

相変わらず陽気にカメラの裏側から登場し、心配して損した、と言わんばかりの３人に手を振った。

「私は今、オーストラリアのカンガルー島の動物病院にいるのよ。少し前に、ここでとても大きな森林火災があったの。カンガルー島は大きな被害を受けた場所よ。その名の通り、ここにはカンガルーをはじめコアラ、アシカなどの野生生物が多く住む自然保護区が複数あったんだけど、火災によって、その生態系が失われてしまったわ」

野生の動物が大好きで、テレビ番組もよく見ているモコが、

「あ、それ、テレビで見た。コアラが燃えている森の中を逃げている姿が映って、見ていられなかったよ」

と悲しそうにつぶやいた。

「ＮＡＳＡの報告によれば、今回の森林火災の影響で島の約3分の1が焼けて2万5000頭ものコアラが焼け死んでしまった【＊1】らしいわ。生き残った動物たちも多くはひどい

やけどを負って、救出された子たちはここで治療を受けているの」

エナジーはスマホのカメラを持って周りを映した。カンガルーやコアラは随分元気になって、獣医さんたちの腕に抱かれてミルクを飲んだり、処置台の上で治療を受けたりしていた。

「この森林火災が何日も続いた原因は、異常な乾燥と高温といった異常気象だと言われているわ。この年の世界の平均気温は、観測史上2番目に高かったんですって。そしてオーストラリアの平均気温は過去最高だった。世界気象機関（WMO）も、オーストラリア全域での森林火災危険指数（FFDI）の値が高く、森林火災が起こる可能性を指摘していた、ということよ【＊2】」

「それも地球温暖化と関係があるよね」

ラミは心配だった。

「カイトがみんなに送ってくれた資料を読んだかしら？　カイト、ありがとう。とても役に立ったわ」

「いえ、自分の頭の整理をしたかっただけです。でも、役に立ったならよかった。今の森林火災の話で気がついたのですが、森林には二酸化炭素を吸収する役割がありますよね。その森林が火災によって失われてしまうと、それまで木々に吸収されていた二酸化炭素が吸収されなくなってしまう。そして、もし二酸化炭素が温暖化の原因なら、森林がなくなることによって余計に温暖化がひどくなって、さらに高温や乾燥が続き、森林はもっと燃えやすくなる、としたら恐ろしいです。悪循環におちいってしまう……」

「そうね。しかも深刻な森林火災が起こっているのはオーストラリアだけじゃないわ。インドネシアやアマゾン、アメリカのカリフォルニア州、さらにはシベリア【＊3】等でも発生しているらしい。それを止める方法を探すには、まず、その原因を知らなくちゃ」

「そうなんです。二酸化炭素が増えることと、地球の温度が上がっていることの関連について、まだよく分からないんです」

「じゃあ、今日はその辺りから掘り下げていきましょう。ここは動物たちの治療室だから、ちょっと場所を変えるわね。少し待ってて」

3 なぜ二酸化炭素が増えると、温暖化が進むのか

5分くらい経って、エナジーは再度画面に現れた。

「地球の年齢は46億歳ぐらいなんだけど、その間、周期的に温暖化と寒冷化を繰り返してきているわ。過去5000年ぐらいで気温は4〜7度程度上がっている。100年ずつに

区切ってみると、1年に0・08〜0・14度の上昇と、とても緩やかだったの。でも、最近100年間の温度上昇が0・74度となって、上昇幅が大きくなった。これは自然現象ではなくて、人間のせい、つまり、産業革命と関係があるだろう、と考えられているの」

「そこら辺りまでは納得できる。でも、二酸化炭素が増えると、どうして地球の温度が上がるのか、それがよく分からない」

モコは眉を寄せた。

「そうだよね。じゃ、そこのところが分かるように説明するね。まず地球があって、その地球は大気に覆われている。ところで大気っていうのはね……」

「あっ！　僕に説明させてください。えっと、惑星、つまり、水星・金星・地球・火星・木星・土星・天王星・海王星の表面を覆っている気体のことを総称して大気といいます。大気はそれぞれの惑星の重力に引き寄せられて、惑星全体を覆っていますが、それぞれに異なる複数の気体で構成されています。地球の大気は容積比で窒素78％、酸素21％、アルゴン0・9％などで構成されていて、一般に〝空気〟と呼ばれています。ちなみに金星の大気は、二酸化炭素96％、窒素3・5％、木星の大気は、水素93％、ヘリウム6％で構成されていて、人間が呼吸できる気体ではないので、これは空気とは呼びません【＊4】」

「完璧な説明をありがとう、カイト！　素晴らしいわ。さて、ここでは金星や木星のことはいったん忘れて、地球の話をするわよ」

「はい、お願いします！」

3人の声がぴったりそろう。

「**地球の大気の主成分は、窒素と酸素なんだけど、その他に〝温室効果ガス〟と呼ばれる気体が入っているの**」

「よく、ニュースでも聞くわ！」

「そうよね。太陽から届く光が地表を温めると、暖かくなった地表から赤外線が放射される。大気のうちの窒素や酸素は放射された赤外線を素通りさせるのだけど、温室効果ガスは赤外線を吸収して、再び地表に放射し返すという働きをするのよ。

この温室効果ガスによって、地球は温室のようにいつも適度に暖かくて、人や動物が住みやすく、植物も育ちやすい環境に保たれているの。逆に、温室効果ガスが全然なかったら、太陽から届いた熱は全部宇宙に出ていってしまうの。すると地球の温度は上がらないどころか、マイナス19度ぐらいにしかならないらしいわ。だから、温室効果ガスも一定量は必要というわけね」

「その温室効果ガスっていうのは、何でできているの？　その中には、二酸化炭素は入っているの？」

ラミは疑問でいっぱいになった。

「そう。温室効果ガスの中には、二酸化炭素も入っているわ。その他にメタンやフロン類も含まれているけれど、産業革命以来、特に増えているのが二酸化炭素だったわね。それによって、地表から放射された赤外線の吸収率が高まり、再び地表を温める量も増えている。それが、急激に地球の温度が上昇している原因なの」

「それじゃ、二酸化炭素が地球に蓋をして、地球の温度が逃げていけない、まるでサウナみたいになっちゃってる、っていうこと？」とモコ。

「うーん、全く熱が出ていかないってわけではないんだけれど、産業革命前よりは、出ていく熱が減った、ということかな」

「そうなると、森林火災や、他の自然災害も増える可能性があるということですね」

4 温暖化を止めないと、どんな未来が待っている？

「現在までに科学的事実として分かっていることは、1850〜1900年の間の平均気温と比較して、2010〜19年の地球の気温は1・06度上がっているということ【＊5】。そして、人類が今のままの社会の在り方や生活を続ければ、温度上昇は続いていくということよ。でも、そんなこと言われても実感が湧かないわね。だから、温暖化がこのまま進むと、どんなことが起こるかについて、みんなで考えてみたいんだけど、いいかしら」

3人は恐ろしい未来を見ることに不安を感じた。エナジーは3人に強い眼差しを向けて言った。

「この問題は、原因と結果の間に長い年月がある。だから、私たちがこの問題に目をつぶってしまうことは簡単かもしれない。けれど、そうしたら、今以上に悲惨な未来が必ず現実のものになってしまうわ。それに、未来の形を私たちが求めるものに変えていくには、今すぐに行動しなくちゃいけない。物事のやり方を変えなくちゃいけないかもしれない。それって楽なことではないわ。

だから、〝やらなかったらどうなるのか?〟という具体的なイメージを持つことが大事なの。そうしないと、きっと私たち、すぐに諦めちゃうわ。少しきついかもしれないけど、今、これをやる意味があるって私は思う。それに、ほら、チームでやれば、1人でやるよりもつらくないわよね」

それを聞いた3人は、納得したようにゆっくりとうなずいた。

「オーケー。じゃあ、私からヒントを出すわね。温暖化が続くと、3つのことが地球に起こるの。**1つ目は、異常な高温が日常化する**こと。**2つ目は、北極圏や山の高いと**

ころにある氷が溶け出してくること。そして**3つ目は、大気の循環が変化し、地球上の風の流れや海水の流れが変わってくる**こと」

「その3つのことが起こると?」

「それぞれが、地球上の自然環境にどんな影響を与えるか、私たちの社会にどんな影響を与える可能性があるのか、考えてみよう。1つ目の〝異常な高温〟について……ラミ、どうかしら?」

「うーんと。気温が上がり続けると、日本でも農作物の栽培される場所がどんどん北の方に移っていくかもしれない。場合によっては日本で収穫されていた野菜ができなくなるってこともありそう。そうなると野菜や果物の値段が上がるし、それが長く続けば、**食料不足につながる**かもしれない」

「この前見たテレビ番組で、アフリカの乾燥地帯では、雨の季節があるから、それで砂漠の植物が育ち、アフリカゾウやキリンなどの餌になるんだって言ってた。だけど、雨が降らなくなってきたことで、動物の飲み水や食べる草がなくなり死んじゃう動物も増えているって。**食物連鎖が崩れ、生態系も崩れ始めている**って」

モコが思い出しながら話した。

「それだけじゃないです。河川やダムが乾いて干上がったり、地下水も枯渇したりして、**水だって不足するかもしれない**。それらのことが全部起こったら、まず僕たちは食料の心配をしなくちゃならない。以前の対話で、エネルギーの安全保障（p89）について話したけど、食料の安全保障の問題も起こりますよね。各国で食料が不足すれば、戦争になる可能性もありますね」

「えー、まさか！」

モコとラミの顔が引きつった。

「それが、そんなにとっぴな推理でもないの。結局、紛争や戦争はたいてい資源の取り合いが根本的な原因よ。**食料不足が戦争や紛争に発展する可能性は大いにある**わ。今すぐにではなくても、その原因が温暖化ならば、元凶となる事柄はもう始まっていることになる。だから、世界の多くの国が、何十年か後に世の中が混乱するのを避けるため、温暖化対策を始めなければいけないって言っているのね」

「今、考えなければ、ですね」

エナジーは、ゆっくりと首を縦に振った。

「そうよ。じゃあ次に、2つ目の〝地球の氷が溶け出す〟っていう現象からは、何が起こるかしら？　モコ、何か思いつく？」

「溶けた氷が海に流れ出て、**海面が上昇したことで、今住んでいるところに住めなくなる**っていう人が、南太平洋のソロモン諸島やツバルという国にたくさんいる、というニュースを見たよ」

さらに、モコが続けて言った。

「そういう人たちがみんな、十分にお金を持っていて、別のところに新しい家を建てて住めればいいけれど、そうじゃない人々は、住むところを失ったらどうなるの?」

「国によってはそういう人たちが難民化したり、職を求めて都市部に流入し、都市がスラム化していくという可能性もあるわね。貧困は紛争の温床になるから、紛争が起こる可能性も高まるかもしれないわ」

エナジーが付け加えた。

「3つ目の現象、〝地球上の風と海水の流れが変わる〟ことから、考えられることは? ラミは実体験として感じていることがあるんじゃない?」

「うん。**集中豪雨のような異常気象が起こったり、台風やハリケーンの規模が大型化**したり、それによって川が氾濫して水害が起こったりする。災害自体も大変だけど、被害を受けた土地や施設は、すぐには元に戻らないから、人々の健康にも影響があるし、精神的負担もある。会社だってすぐには営業できないから、経済も止まってしまう」

隣町で起こった災害で苦しんでいる人々の様子を思い返して、ラミは答えた。

「私たちが今の生活や社会の在り方を変えていかないと、こういったことが未来に起こってしまう可能性はとっても高くなっている。でも、目の前で起こっている地球規模の変化は、100年弱ぐらいの人間の命という時間軸で見ると、ほんの一部しか見えていなくて、意識しないと、ジワジワと悪化する地球環境に気がつかないかもしれない。そうならないように、あえて今日は少し胸が痛むような対話をしたの」

カイトが真剣な目をエナジーに向けた。

「大事なことは、僕たちがこれから、何をどう変えていくかっていうことですね」

3人とも大きく、ウンと首を上下に動かした。たくさん考えて少し疲れたようだった。

「ここらで休憩しよう。10分後に再開ってことで」

エナジーの声はなんだか優しかった。

5 二酸化炭素を排出する活動ランキング

休憩後、画面には、二酸化炭素排出量の多い国ランキングが共有されていた。

二酸化炭素排出量の多い国ランキング（2022年）

順位	国名	単位百万トン
1	中国	10,550.25
2	アメリカ	4,825.78
3	インド	2,595.85
4	ロシア	1,457.49
5	日本	1,065.71
6	インドネシア	691.97
7	イラン	667.39
8	ドイツ	634.88
9	サウジアラビア	612.48
10	韓国	592.40

［出典］CO2 二酸化炭素排出量（EI統計）GLOBAL NOTE

「最新のデータ（２０２２年）では、世界の二酸化炭素排出量は３４３・７億トン。排出量の多い国のトップ10位は、１位から順に四捨五入して、中国１０６億トン、アメリカ48億トン、インド26億トン、ロシア15億トン、そして日本が11億トン、以下インドネシア、イラン、ドイツ、サウジアラビア、韓国となっているわ」

「日本はなんと、世界で第5位よ！　一体、島国日本のどんな活動が二酸化炭素を多く出しているのかしら？　次の図でその内訳を見ていきましょう。これは、二酸化炭素が、どんな活動から出ているかを示したものよ」

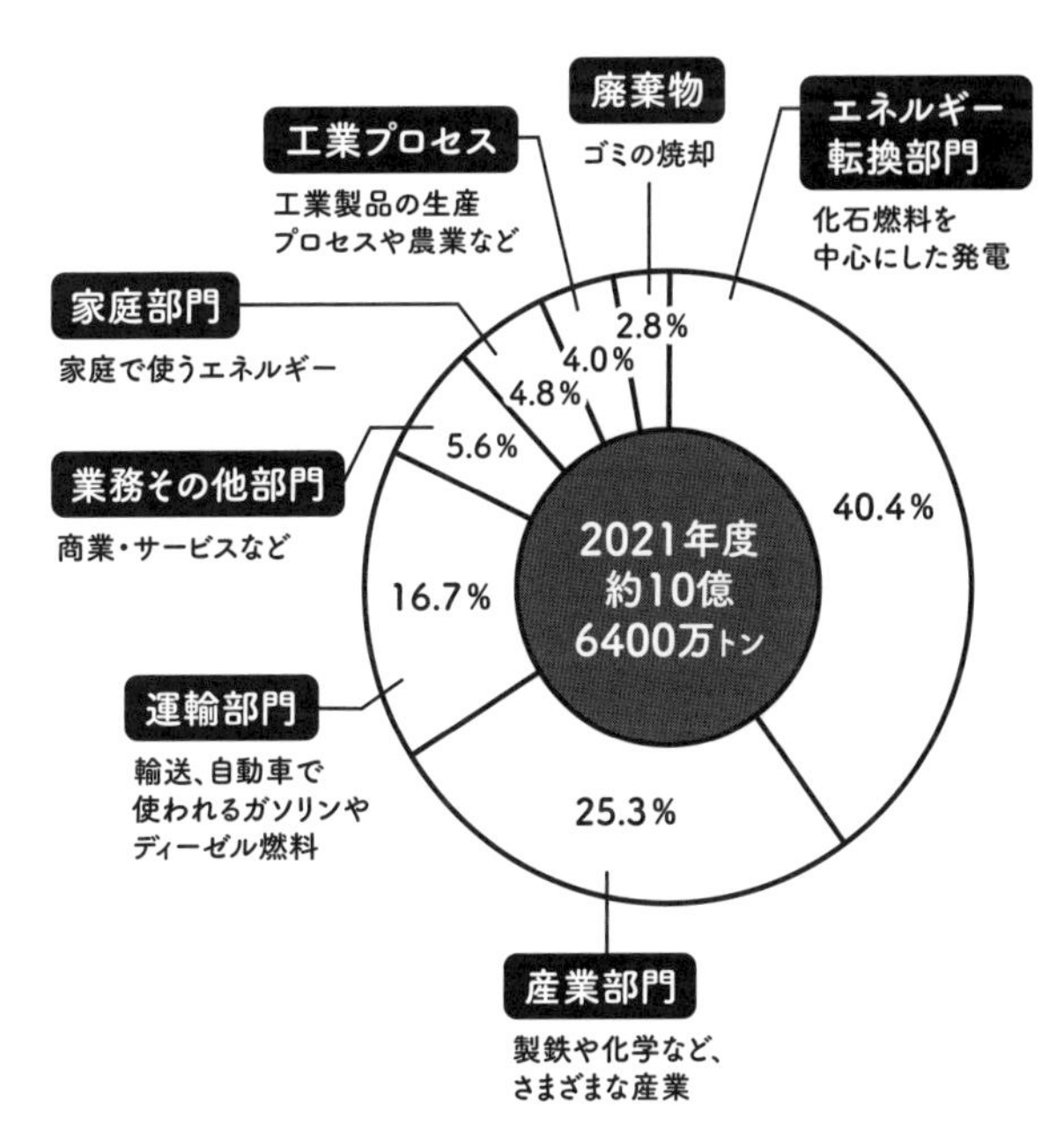

［出典］温室効果ガスインベントリオフィス
［参考］全国地球温暖化防止活動推進センター　ウエブサイト（https://www.jcca.org/ より）
以上をもとに作成

「さて、これから私たちは、脱炭素化を考えていかなければならないんだけど、その前に、どういう活動からどれぐらいの二酸化炭素が出ているかを、まず知る必要があるでしょ。この図を見て、分かることを言ってみて」

モコが口火を切った。

「一番多いのは、エネルギー転換部門。多分、エネルギー資源や燃料を輸入したり、発電したりってことだよね。前の対話で、東日本大震災による原子力発電所の事故で原子力発電が減り、日本の発電は火力発電が多くなった、その燃料は主にＬＮＧ（液化天然ガス）と石炭だって話したのを覚えてる。どちらも、燃やすと二酸化炭素が出る。だからかな」

よくできましたとばかりに、エナジーが大きな笑みを浮かべた。

「その次が産業。私たち、化学（p131）と製鉄について話したよね。あの時は日本に限った話ではなかったけど、製鉄に使われる高炉を熱するには、高温になる石炭やコークスが一番効率がいいっていう話、ノートに書いたわ。他の産業ももちろんあるんだろうけど、その中で最も二酸化炭素を出しているのは、製鉄業、そして石油を原料としている化学産業じゃないかな？」

ラミもしっかりと答えていた。

「輸送や自動車は、ガソリンですね。日本は電気自動車への移行が遅れていると聞いています。ここで気づいたことは、日本で脱炭素化をする場合、これらの4つの活動、つまり、発電、製鉄と化学、そして輸送・自動車という部門から着手すると、今の時点で日本が排出している二酸化炭素の約82・4％に対して、なんらかの手を打つことができるっていうことでしょうか」

3人の中で、明らかに何かが変化し始めていた。

「そうね。その3つの部門は、これから私たち日本が脱炭素化を行っていく上で最も重要でインパクトの大きい分野であることは間違いないわね。ただ、その他の部門、つまり家庭や商業等でも省エネをさらに行ったり、屋根に太陽光パネルをのせて、電力の自給自足を行ったり、蓄電池やＥＶ（電気自動車。エンジンを搭載しないモーターのみで動く電動車）を使ったり、また資源のリサイクルを行ったりすることで脱炭素ができるってことも忘れないでね」

6 世界のエラい人たちの約束とは？

「ここからは、未来に向けた課題解決について、世界や日本がどんな取り組みをしているかを探っていきましょう。まず、世界の動きをざっくり話すわね。

国際社会が、温室効果ガス削減に対して協調した取り組みが必要だと気づいたのは、1990年代に入ってからよ。1992年に『国連気候変動に関する国際連合枠組条約（UNFCCC）』が採択されたの。国際的に同一見解に達したことや、確認したことについては、〝採択された〟という言い方をよく使うんだけど、この時に各国が、そうだよね、と確認したことは、次の通りよ。
・大気中の温室効果ガス（二酸化炭素を主とする）の増加は地球を温暖化させる
・それによって自然の生態系に悪影響を及ぼす恐れがある
・これは人類共通の関心事
・だから、大気中の温室効果ガスの濃度を安定させて、みんなで力を合わせて
　将来の気候を保護しよう
参加した国が、それはそうだね、大事だよね、と同じ見解を持った、ってことなの」

「つまりこの段階では、あまり細かい約束事には触れていないっていうことですね？」

とカイトが推測する。

「そういうこと。ここで採択されたこと、つまり確認されたことは、いわゆる総論、とりあえず方向性はこうだよね、って感じね」

① 京都議定書（1997 COP3）

「1997年に京都で開かれた会議（国連気候変動枠組条約 第3回 締約国会議）、これはCOP3と呼ばれる会議なんだけど、そこで、『京都議定書』というのが採択されたの。**2020年までに温室効果ガスをどのぐらい削減するか、という目標を決めた**のよ」

「あれ？ 2020年なんて、もうとっくに過ぎちゃったよ？ だけど、2020年に世界的に二酸化炭素などの温室効果ガスの削減が達成された、なんていう話は聞かないわ。どうして？」

「そうね、ラミ。いいところに気がついたね。それには、2つの要因があると思うの。まず、1997年の時点から将来を見た時、2020年は結構遠い未来に思えたのね。その頃までには、目標とする削減量は、多分達成できているんじゃないか、って」

「見通しが甘かったってこと？」

「そうとも言えるわね、モコ。地球規模の課題に対して各国が賛成する案を作るには、20年ぐらいはあっという間に過ぎてしまうのかもしれない」

　エナジーは、肩をすくめた。

「そして、もう1つのポイントは、1997年時点の世界では、中国やインド、ブラジルのような国はまだまだ途上国だったってところよ。地球上の温室効果ガスや二酸化炭素が増えたのは、先進国のせいだから、途上国に責任はない、と見なされたの。京都議定書に規定された削減量に対して義務を負うのは先進国だけ、とされていたのね。

でも、この頃から中国やインドの目覚ましい経済成長が始まって、二酸化炭素もどんどん出すようになった。特に中国でもインドでも、発電はほとんど石炭を燃料とする火力発電だった。さっき、世界で一番、二酸化炭素を出しているのは中国、次がアメリカっていう話、したでしょ？　1997年時点では、1番じゃなかったかもしれないけど、いずれにしてもたくさん二酸化炭素を出している中国やインドに削減義務がないとは、一体どういうことだ！と怒ったアメリカは、削減義務を負うことを拒否。カナダは京都議定書から脱退してしまったの。この辺りから混迷が始まったのよねぇ」

「つまり総論は賛成だったけど、誰がいつまでに何をしなければならないか？という細かい約束事になってくると、そんなに簡単には合意できないっていうことですね……」

② パリ協定（2015　COP21）

「議論を一歩前に進めることができたのは、パリで開かれたCOP21よ。ここで採択されたのが『パリ協定』と呼ばれるもの。1997年の京都議定書では、2020年のことまでしか規定していなかったけど、あっという間に2015年になってしまって、あれ、どう考えても2020年までに脱炭素ってできそうにないな、じゃあ、それ以降の国際ルールを決めておかなくちゃ、ということで、COP21で決めようってことになった」

「え〜。1997年から2015年まで話し合いが前に進まなかったっていうことは、えっと18年ぐらい無駄になっちゃったんだね」とモコ。

「パリ協定は、今世紀後半までに世界の気温上昇を産業革命以前と比べて2度より低く保ち、1・5度に抑える努力をする、ということを目標に掲げたの。京都議定書の時に反対する国もあったので、パリ協定では、各国の削減義務を法律的に守らなければいけないこと、という位置づけではなくて、**削減目標はあくまでも各国が独自に設定して、その進捗状況を報告するということにした**の。さらに今度は、先進国だけじゃなくて、**全ての国と地域を対象にします**よ、ということにした。それでも、石油メジャーと言われる巨大石油産業を抱えているアメリカは、トランプが大統領になった後、2017年にパリ協定から脱退。その後、2021年にバイデンが大統領になってから再度復帰したという経緯があったわ」

「あ、思い出した。スガさんが首相になった時に、確か、カーボンニュートラル宣言をしたよね？　初めて聞く言葉なので印象に残っていたわ」

　ラミが身を乗り出した。

「そうだったわね。**カーボンニュートラルとは、二酸化炭素を含む温室効果ガスの**

排出を極力抑えつつ、出てしまった分に関しては同じ量を吸収したり除去したりすることで、排出量をプラス・マイナスでゼロにするということよ。2020年、菅義偉（すがよしひで）元総理は、2050年には二酸化炭素などの温室効果ガスを実質ゼロにするって宣言したのよ。それから日本も本格的に脱炭素化に取り組むことになったの」

③ グラスゴー気候合意（2021 COP26）

「ここで合意されたのは、こんな内容よ。

・世界平均気温の上昇を産業革命前と比べて1・5度以内に抑えること

・パリ協定の時から議論されていた国際投資に伴う排出権取引のルールについて、ルールブック（実施指針）を確立した

・温暖化の最大要因として石炭火力発電の段階的な削減をすること

ちょっと難しいけど、**〝排出権取引〟**について説明するね。まず、各国や各企業が、温室効果ガスをいくらまで出していいかという排出枠を決めるのね。その上で排出枠を超えて温室効果ガスを出してしまった国や企業と、排出枠が余っている国や企業が取り引きするの。**〝排出量取引〟ともいう**わ。

ちなみにここで言う排出権というのは、国家間レベルのことよ。先進国が途上国に対し

て、例えば風力発電所の建設などに資金面や技術面で協力して、温室効果ガスが削減された場合、その分を排出権として認め、双方で分けるということで合意したのよ。

でも、まだ合意できていないことも、達成できていないこともあるわ。新興国にしてみれば、二酸化炭素を含む温室効果ガスの大半は先進国の責任なのに、今になって新興国に対して、成長を諦めて脱炭素化しろ！なんて不公平だと感じるだろうし、それを解決するのは、結局はお金、なのよね……。

今後の議論は、先進国が、途上国の脱炭素化にどれほどの資金援助をするのか？というのがテーマになると思うわ」

エナジーが続けて言った。

「2023年11月末から2週間開催されたCOP28では、石炭火力発電の削減だけでなく、石油や天然ガスのようなその他の化石燃料についても削減していくことが合意されたけど、石油や天然ガスの産出国にとっては厳しいチャレンジになるわね。

さらに、再生可能エネルギーや原子力を大幅に増やすことも合意されたけど、そのためには資金や技術が必要になる。でも、COPはそこまで面倒は見てくれない。

今や、地球規模の目標を掲げるだけではなく、各国の事情に合わせて、より具体的で実態に沿った解決策に目を向ける必要があると思う。そしてそれは、これまで以上に困難であることは間違いないわ」

7 脱炭素化、日本は何をする?

「日本は2020年10月のカーボンニュートラル宣言を受けて、具体的に何をしていくのかを議論し、国としての取り組みの方針を決定したの。これを、**GX**(グリーン・トランスフォーメーション)**基本方針**【*6】というのよ。

このGX基本方針のポイントは、**脱炭素化、成長戦略、エネルギー安全保障の再構築**、の3つよ」

「日本がどうやって脱炭素化していくのか、については、この〝脱炭素化の主な取り組み〟として記載されている項目を見ておいてね」

GX(グリーン・トランスフォーメーション)基本方針　脱炭素化の取り組み

❶ 省エネの推進
❷ 再生可能エネルギーの主力電源化
❸ 原子力の活用

❹ 水素・アンモニアの導入促進
❺ カーボンニュートラル実現に向けた電力・ガス市場の整備
❻ 資源確保に向けた資源外交など国の関与の強化
❼ 蓄電池産業
❽ 資源循環
❾ 運輸部門のGX（グリーン・トランスフォーメーション）
❿ 脱炭素のためのデジタル投資
⓫ 住宅・建築物
⓬ インフラ
⓭ カーボンリサイクルとCCS（二酸化炭素回収・貯留）
⓮ 食料・農林水産業

「えー！　こんなにあるのぉ！」

ラミは目を丸くした。

「そう、たくさんあるわね。だけど、日本という国家の成長戦略だと捉えれば、私たちの社会や経済、生活の重要な部分について、全てカバーしていく必要があるから、しょうがない。でもね、今の段階でかなり議論ができている項目と、まだ具体的に何をどうするかが決まっていない項目もあるのが現状なの」

「そう簡単にはいかないのですね」

「ええ。その中でも、かなり方針が固まってきているのが、②再生可能エネルギーの主力電源化、③原子力の活用、の2つと言えるわ。この2つは、日本が排出している二酸化炭素の約40%を占めるエネルギー転換部門、つまり発電に関するところ（p161）。これは少し詳しく掘り下げたいから、別の対話のテーマとして取っておくね。ここでは、重要性がより高い④水素・アンモニアの導入促進と⑦蓄電池産業、そして⑬二酸化炭素回収について触れておくわね。他にも気になるものがあれば、調べてみてね」

「はい！」

3人は、大きく返事をした。

水素・アンモニアの導入促進

「まず水素ね。水素（H2）は、燃えても二酸化炭素を排出しないことで注目されている。H2だから、燃えて酸素（O2）と結合すると水（H2O）が出てくるだけ。水素は製鉄業の高炉を熱するのに使えるし、二酸化炭素も出さない。燃料電池自動車（FCV）の電池としても利用できるし、水素と天然ガスを混ぜて燃やして火力発電に使えば、二酸化炭素を大幅に軽減することもできる。そういう意味では有望に見えない？　けれど水素社会がなかなか実現しないのには大きく2つの課題があるの」

「一体、どんなことですか？」

「1つ目、地球の7割は水なんだから、水素なんて無尽蔵と思うじゃない？　ところが、水から水素を取り出すには電気分解が必要で、この時に二酸化炭素が排出されてしまうの。電気分解に使うエネルギーを再生可能エネルギーか原子力にしないと脱炭素にはならない。

だけど、まだ日本には再生可能エネルギーが十分にないし、あったとしても、コストがとても高くなってしまうわ。原子力はまだ十分に稼働していないしね。足元では、水素は輸入に頼らざるを得ない。つまり、またもやエネルギー安全保障の課題が残るわ。いずれにしても値段が高くなりすぎて、それを使う電力や製鉄、輸送といった産業側では使えない、というのが日本の現状なの。

2つ目、水素を十分に活用するための社会インフラが必要になるわ。それには相当な投資が必要になるの。つまり、水素の議論は、グリーンな水素（生成過程で二酸化炭素を排出しない水素）を低コスト化する、という課題がまだクリアできずにいる状態。

アンモニアは、水素を運ぶ時のキャリア（運搬役）として使われるの。アンモニアってそもそも農業用の肥料として使われているから、サプライチェーン（供給網）ができているし、水素をそのまま輸送するよりも、アンモニアというキャリアを使うことで、安全性も安定性も高まって、さらにそのまま燃料として使えるので都合がいい。ただ、アンモニアは、肥料としても重要だわ。食の確保も重要だから、肥料分も確保しなければいけない。増産が可能か？というのが1つの論点なの。こういう一連の問題、カイトはどうやって解決すべきだと思う？」

「難しいけど、水素社会を実現するには、どうしたらいいか？という視点で、社会を作っていくっていう姿勢が必要なんじゃないかって、思います」

エナジーは強くうなずいた。

蓄電池産業

「エナジー、蓄電池についての日本の課題が何か、教えて」

待ちきれなくなったラミが、エナジーの顔を見つめて言った。

「了解！　脱炭素化の波に乗って、いろいろなモノが電化していくわよね。電化っていうのは、それまで別の燃料で動いていたものが、電気で動くようになることよ。電気自動車（EV）はとても分かりやすい例ね。そのEVにとって最も重要な技術が蓄電池。それだけじゃなくて、再生可能エネルギーを効率的に使うためにも、蓄電池の存在は不可欠よ」

「日本は進んでいるんでしょ」

「そうねぇ。そもそも日本の電池メーカーの蓄電池分野での技術力はとても高かった。かつて、世界市場でも高いシェアを持っていたのよ。だけど、世界的に需要が高まると同時に、中国や韓国のメーカーが台頭して競争が激しくなり、日本の競争力は落ちちゃった」

「日本の自動車会社は優秀で、世界的にも人気があるのに残念。EVでも頑張ってほしいのに」

ラミがぼそっと言った。

「日本政府はここから蓄電池産業の巻き返しを行っていくんだと思うわ。でも、課題があるの。1つは、蓄電池の重要な原材料である黒鉛の92%は中国からの輸入に頼っていること。もう1つの課題が、今のリチウムイオン蓄電池に代わる次世代の電池、〝全固体リチウムイオン電池〟の開発よ。全固体電池の開発については、日本の自動車メーカーの技術が世界でも先行している、とも言われているわ。是非、頑張ってほしいわね」

二酸化炭素回収の術!

「さぁ、本日の対話の最後に取り上げるのは、CCSとDACという技術。これまでは、どうやって二酸化炭素を出さないで産業・経済活動をするか、っていうことを話してきたけど、これはちょっと面白いの。変わり種よ。CCSとDACは、どうしても削減できずに排出されてしまった二酸化炭素をどうするか？という話よ。準備はいい？」

エナジーが聞くと、3人は両手の指でオッケーマークを作った。

「まず、CCS（二酸化炭素回収・貯留 Carbon dioxide Capture and Storage）からいくわね。CCSは、排出源、つまり製油所とか発電所とか、化学プラントなどから排出された二酸化炭素を回収して、ためる技術。これらの施設は大量のCO2を排出している。もちろん段階的に脱炭素化していくんだけれど、すぐにってわけにはいかないから、暫定的な措置として回収・貯蔵という手段を使うことを検討しているの」

「回収した二酸化炭素はどうするの？」

「パイプラインや船舶を使って、海の沖の方まで輸送して、地下800メートルより深いところにある貯留層と呼ばれる地層の中に閉じ込めるの。貯留層は、隙間の多い砂岩でできていて、さらにその上が遮へい層で覆われているので、ここに貯留されたCO2は、漏れ出すことなく閉じ込めることができる【＊7】、と言われているわ」

「へー、なんだか石油やガスを掘った時の作業を、逆回転させて、二酸化炭素だけ地中に埋めもどすみたいだ！」

「発想は、それに近いかもね。実はすでに実証プロジェクトが始まっていて、製油所や火力発電所から出た二酸化炭素を九州北部や西部の沖合の海底深くの貯留層にためるプロジェクトや、商社や大手製鉄会社が製鉄所から二酸化炭素を回収して、東北地方の日本海側の海底にある貯留層にためるプロジェクトが進んでいるらしいわ。

この他にも、国内で回収した二酸化炭素を船でマレーシアに運んで、そこで貯留するという計画もあるらしい。マレーシア辺りはもともと海底から天然ガスが出るので、天然ガスを掘った後の層に二酸化炭素を埋めもどす、という計画が進んでいるの。北海から石油を採っていたイギリスなどでも同様の取り組みがあるけれど、輸送することを考えたら、日本からイギリスは遠すぎるから、マレーシアが選ばれたんだと思うわ」

3人は、だいたい覚えた世界地図を頭の中で広げて、日本からの航路を想像しながら、なるほど、と納得した。

「さあ、今日の締め、DAC（直接空気回収技術 Direct Air Capture）の話をします。DACは、大気中からCO2を回収して除去する技術なの」

「エーッ、ぶっ飛んでる〜！」とモコ。

「製油所や発電所などの排ガスに含まれるCO2の濃度はとても高いけど、私たちの周りの大気、つまり普通の空気に含まれるCO2の濃度は0・04%ぐらいしかない。ということは、一定の二酸化炭素を回収するのに、DACの方が、より大きなエネルギーを必要とする、ということになるわね」

「え？　じゃ、ＣＣＳに比べると相当効率悪いですよね？　どうしてＤＡＣ技術を推進する必要があるんですか？」

カイトは興味津々とばかりに聞いた。

「**ＤＡＣは**ね、ＣＣＳと比較するんじゃなくて、**森林と比較する**のよ」

それは意外な答えだった。

「覚えてる？　そもそも地球上の二酸化炭素は、森林や草木などの植物の光合成によって酸素に転換されてきたでしょ。その森林や草木と同じようにＤＡＣを使って、大気中の二酸化炭素を回収するの。地球上にどんどん増えている二酸化炭素を回収するには、現存する森林では間に合わないから、人工的に同じ機能をＤＡＣにやらせよう、という発想よ。

森林には、広大な敷地が必要となるし、今、植樹をしたとしても、森になるには数十年単位の時間がかかる。だから代替としてＤＡＣを使おうということよ。森林と比較しても敷地面積も小さくて済むし、回収する場所も選択肢が多くなって、どこでも二酸化炭素の回収ができるようになる、ということなの」

「それ、超クール！」とラミ。

「それ、メッチャ面白いです！　どんな会社が有望なんですか？」

「スイスやカナダ、アメリカのスタートアップ企業が先陣を切ったわ。テスラのイーロン・マスクも、Ｘプライズ財団の活動を通じて、大気中あるいは海洋からＣＯ２を回収する技術開発コンテストに1億ドルを出資する！と発表したわ【＊8】」

「日本企業は、また出遅れたんでしょうか？」

カイトはがっかりした。

「まぁ、少しね。でも、すでにいくつかの大手重工業会社が実験に成功したり、2025年の実用化を計画したりといった取り組みを始めたと聞いているわ。政府も、2030年までには、二酸化炭素濃度が10％弱の排気ガスから二酸化炭素を低コスト・低エネルギーで分離して回収する技術の実用化を目指す事業を支援するそうよ。まだまだ、これからよ」

「僕たち日本には資源はないけど、知恵と経験があるっていう話、しましたよね。僕も、その役に立ちたいなって、そう思います」

少し震え声だったが、カイトはためらうことなく、そう発していた。

不登校になって以来、自分はなんのために生きているんだろう、との思いを抱いていたカイトだったが、今はだんだんと大きな目標が現れてきたような気がしていた。それは、困難なはずなんだけれど、なぜかとても光り輝いて見えた。

「カイト。私たちはみんな、ミッションを持って生まれてくるのよ。だけど、そのミッションがなんなのか分からないまま一生を終えてしまう人もいる。そのミッションは、大きくても小さくても、社会が豊かな未来へと続いていくために必要なもの。もしカイトが、カイトのミッションを見つけそうなところにいるなら、私は全力でそれを応援する。もちろん、モコも、ラミもそうよね」

エナジーは3人の顔を順番に見つめて、確認するようにうなずいた。

【*1】2020・1・7 NASA「カンガルー島の3分の1が森林火災で焼失」

【*2】2020・1・15 米航空宇宙局（NASA）ニュース「NASA、NOAAの分析によれば、2019年が史上2番目の暖かさであったことを明らかに」、2020・1・7 世界気象機関（WMO）ニュース「オーストラリアは記録上最も暑く、最も乾燥した年に、壊滅的な火災に見舞われています」

【*3】2019・7・31 シベリア森林火災、すすと灰が北極圏の氷と永久凍土の融解を加速／AFPBB News

【*4】空気と大気の違いとは？／ギモン雑学(zatugaku-gimonn.com)

【*5】2021・10・29 温暖化の実態が明らかに／日経ESG (nikkeibp.co.jp)

【*6】「GX実現に向けた基本方針」が閣議決定されました（METI／経済産業省）

【*7】IPCC（国連気候変動に関する政府間パネル）の調査では、地層を適切に選定し、適正な管理を行うことで、貯留したCO_2を1000年にわたって閉じ込めることができると報告されている。なお、長い年月を経過したCO_2は、岩石の隙間で鉱物になるなど、安定的に貯留されるものと考えられている

【*8】2021・2・9 イーロン・マスク氏、CO_2回収・貯留のXプライズ競技会に1億ドル／日経クロステック（xTECH）(nikkei.com)

対話5　まとめ

・地球上の生命体は、その命を循環させることによって炭素を循環させている。地球上の大気中に一定量存在する二酸化炭素（CO2）は、光合成によって植物に取り込まれ、植物は酸素を吐き出す。動物は、植物を食べて、炭素と結合してできる栄養分を体の中に取り込み、呼吸をすることで二酸化炭素を吐き出す。そうすることで、植物から取り込んだ炭素をもう一度大気中に戻している。

・循環する二酸化炭素の量が一定なら問題はないはずだが、産業革命の頃から、地球上にある二酸化炭素の量が急激に増え始め、大気のバランスが変わり始めた。

・地球を覆う大気の主成分は、窒素と酸素、そして二酸化炭素を含む温室効果ガスである。太陽から届く光が地表を温め、暖かくなった地表から赤外線が放射される。大気のうちの窒素や酸素は放射された赤外線を素通りさせるが、温室効果ガスは赤外線を吸収して、再び地表に放射し返す。温室効果ガスが増えると、赤外線の吸収率が高まり、再び地表を温める量が増える。これが、地球温度の急激な上昇の原因となっている。

・温暖化現象は、連鎖的にさまざまな現象を引き起こす。生態系が崩れ、食物不足や貧困の原因、やがては紛争の火種にもなりうる。

・日本の二酸化炭素排出は、発電に伴う活動や、製鉄や化学を主とする産業、輸送や自動車といった3つの活動分野がその8割以上を占める。まずはそれらの活動による排出を削減していくことが重要。

・国際的には、グラスゴー気候合意（2021 COP26）が採択され、世界の平均気温の上昇を産業革命前と比べて1・5度以内に抑えようという目標が共有された。

・日本は2020年10月のカーボンニュートラル宣言を受けて、国としての取り組みを、GX（グリーン・トランスフォーメーション）基本方針という形で閣議決定した。

対話6

チャレンジ！再生可能エネルギー

1 風力発電の集積地、北海道

約束の時刻の5分前。3人はいつものようにパソコンを立ち上げた。エナジーはすでに接続済みだったが、またまた姿は見えない。代わりに、広大で緩やかな丘陵を地平線へと続く道と、雲のない大きな空が車のフロントガラス越しに画面に映し出されていた。車は、前へ前へと進んでいく。

「オラ〜チコス！　コモ　エスタイス？　おーい、みんな！　ご機嫌いかが〜？」

いつにも増して陽気なエナジーの声がした。

「私は今、ある場所に向かっているところよ。もう少しで着くからこのまま画面を見ていてくれる？」

エナジーは、まっすぐ前の景色を捉えるために、車の助手席でスマホのカメラを構えているのだろう。

「私は今、北海道の稚内の近くを車で走っているの。ここは、ほぼ日本の最北端。宗谷丘陵というところよ。あ、ほら、見えてきた！」

低めの丘と丘の隙間から、1基の白い風車が姿を現した。さらにその奥に数基、また数基と次々風車が見え始め、気がつくと遠く向こうの方まで、数十基もある。その風景はなんとも雄大だった。

「わぁ！　すごい！　これ、風力発電だよね！」

モコは興奮して画面を食い入るように見つめた。

「そう。ここは宗谷岬ウインドファーム。ユーラスエナジー【＊1】という会社が、2005年に運転を開始した日本国内最大級の風力発電所よ。この風車1基は、年間1000キロワットの発電容量があって、風車を支える鉄塔の高さは68メートル。それに羽根が3枚ついている。その羽根のことをブレードって呼ぶんだけど、ブレードの直径が61・4メートル。地上からブレードの一番てっぺんまでの最高到達点は約100メートルにもなるのよ【＊2】。それが57基設置されているから、この発電所の発電容量は5万7000キロワット。これは稚内市の年間消費電力の約6割で、一般家庭の4万1000世帯が消費する電力量に相当するということらしいわ【＊3】」

3人は、初めて見る風力発電所の規模の大きさに驚きを隠せなかった。

カイトは早速、手元で地図を広げた。

「宗谷丘陵は土地が広く、海風もあるし、丘陵ではあっても山というほど高くもない。風力発電に適している場所なのですね」

「そう。この辺りは、年間を通じて平均風速7・5メートル／秒を超える風が吹くの。風力発電所ができる前は、漁業と水産加工が主な産業で、この風を使って魚を干したりしていたそうよ。町の人たちにとってこの風は厄介な存在だったと聞いているわ。でも、宗谷岬ウインドファームが運転を始めてから、氷河に削られた丘にたくさんのブレードが並ぶ風景が近未来的だとSNSに投稿されるようになり、〝風のまち稚内〟という新たな側面が生み出されたとも言われているの」

エナジーの説明を聞きながら、カイトは、ネットで北海道全域の風力発電所のある場所を検索してみた。

「エナジー、ちょっと画面共有させてもらっていいですか？」

北海道の風力発電所のある場所

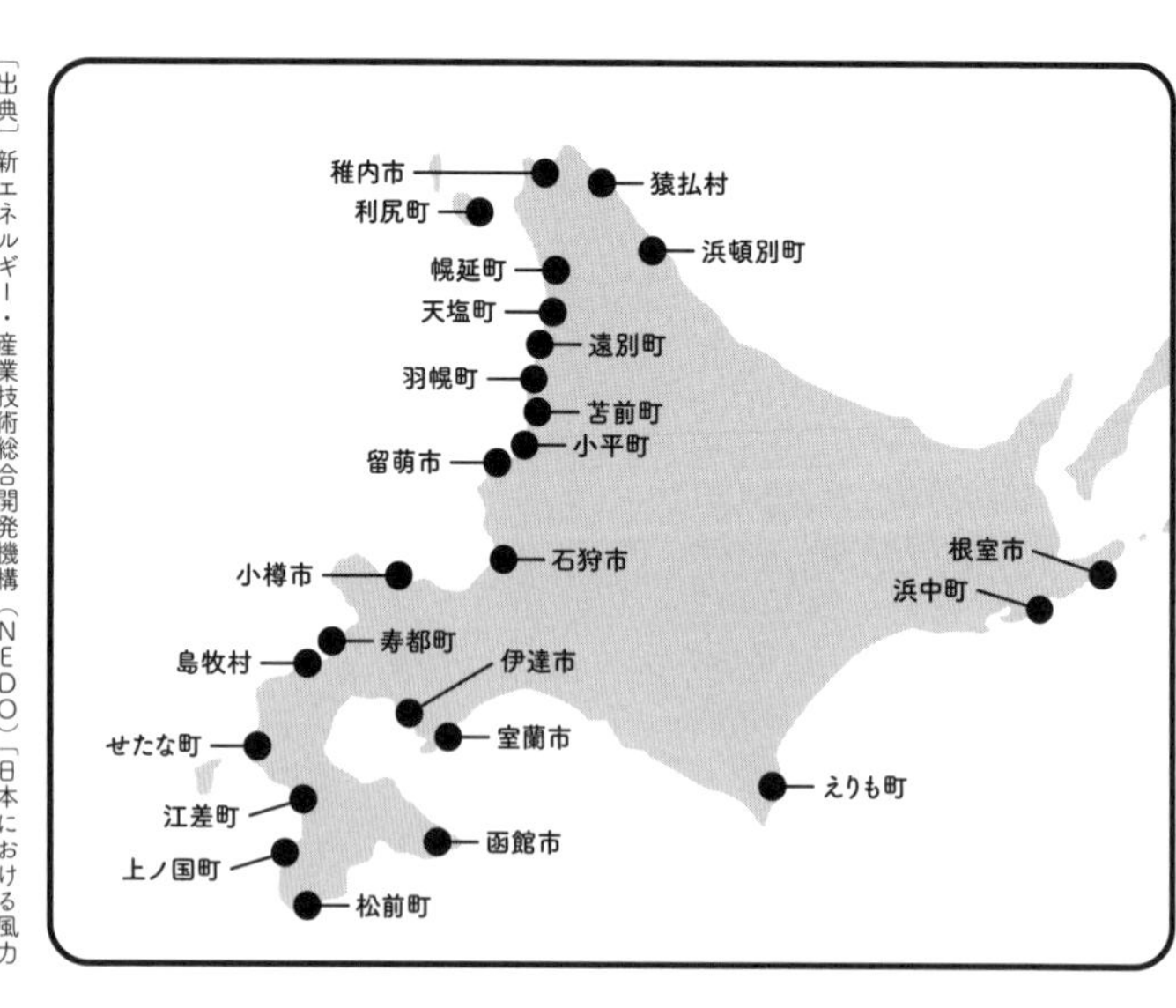

［出典］新エネルギー・産業技術総合開発機構（NEDO）「日本における風力発電設備・導入実績」（北海道）（2018年3月末現在）をもとに作成

「もちろんよ!」

「これ、2018年時点での北海道の風力発電所のある場所です。道内に大小合わせて57カ所あるようです。設備容量(発電能力)は合計で年間35万8745キロワット、風車の数は304基【*4】となっています。特に北西部に、よく風の吹く適地があるってことですね」

「その通りよ。北海道は風力エネルギーの潜在的な資源量では日本中でトップね。適地は道北に集中している。宗谷や留萌地方には、海から強い風が吹くから、風車全数の約半分以上がこの辺にあるようね。さらにこの地域では大型風車の建設が次々と計画されていると聞いているし、脱炭素化の波に乗って、陸上だけでなく、海の上、つまり洋上の風力発電開発が急速に活発化しているんですって」

「北海道は風力王国なのね!」とラミ。

「そう。風力開発を手がけるプロの間でも、道北地域は日本の風力発電集積地になる、と言われているわ。今後、洋上風力の開発が進めば、北海道の風力発電事業はさらに大きくなっていくと予想されているの。洋上は陸上よりも風の状況が良いし、住民への騒音被害の可能性も少ないから、大型で発電容量の大きい風車の導入がしやすい、と期待されているのよ」

車はそろそろ風車群を抜け、宗谷丘陵の丘の上に近づいた。

「休憩施設に到着するわ。中のレストランからまた続きを。10分休憩でよろしく！」

ところで今日、エナジーの横で運転しているのは誰なんだろう？　ラミとモコが気になっていたのは実はそこだった。カイトは全くそんなこと、気にもしてないようだけど。

2 再生可能エネルギー、はじめて物語

「さて、今日の対話のテーマについては、もうみんなお分かりかりね。日本の再生可能エネルギーの発展状況と、これからどんな役割を果たしていくのか、について考える旅よ！」

3人は、再生可能エネルギーという響きになんとも言えない未来への希望を感じた。具体的に何か？と言われてもそれを言葉にするのは難しい。化石燃料との付き合い方を変えなければならない今、その答えは二酸化炭素を排出しない再エネ（再生可能エネルギー）にあるような気がした。

「日本が再エネに力を入れ始めたのは、比較的最近のことなんでしょう？」

モコが尋ねた。

「そう思うでしょ。ところが、そうでもないの。日本における最初の再エネ政策は、1973

年の石油ショックの直後に始まったのよ。当時の通商産業省、現在では経済産業省と呼ばれている官庁が、新エネルギー技術研究開発計画を打ち出したの。そこが、日本の再生可能エネルギーの始まりと言えるわ」

「えーっ！　日本の再エネの始まりは、もっと最近だと思ってた!!」

モコの声が一番大きかった。

「石油ショックを経験して、石油への依存度を下げる重要性を強く感じた日本は、通称、サンシャイン計画を進めることにしたの。主に太陽・地熱・石炭・水素を中心としたエネルギーの技術開発よ。この時は特に、地熱発電が注目されていたの。実は、日本国内では太陽光発電よりも地熱発電の方が歴史が古いのよ」

「日本は火山大国ですからね。だから温泉も多い」

カイトが言うと、モコとラミも同意した。

「また、この時に、太陽光発電の技術開発も進められた。後に日本は、大量生産が可能な太陽光発電システムを実現したんだけど、それができたのは、その頃の技術開発があったからよ。信じられないかもしれないけど、2000年代初期、世界の太陽光パネル市場のシェアナンバーワンは日本だったの。その後、すぐにドイツに抜かれ、そしてドイツもすぐに中国に抜かれたけどね。今は、太陽光パネルの市場シェアの大半は中国」

「半導体の生産地が中国に移っていったのに似ていますね。製造工程があまり複雑でないものは、価格が勝負になって、中国が強みを発揮しますね」

「そうね。サンシャイン計画に続いて、1970年代後半から1990年代前半には、省エネ技術の研究開発計画、通称ムーンライト計画が実施されたの」

「サンシャインにムーンライトなんて、なんかイケてるよね」

ラミはいつも、こういうところがなんだか気になる。

「うん、ロマンチック！」モコも同意した。

「この時期に、より幅広い分野の再エネ技術が発展したわ。その後、1994年には、新エネルギー導入大綱（たいこう）がまとめられて、太陽光発電や風力発電といった再エネ電源や、クリーンエネルギー自動車……今で言えば、電気自動車や燃料電池自動車のような新しい技術を導入していく、という国の方向性が示されたの。その方針は、まさしく現在進行形ね」

「なぜ、こんなに早い時期から再エネ政策に着手していたにもかかわらず、1990年半ば以降、加速しなかったのでしょうか？」

「そうよ。その頃から、もっと太陽光発電や風力発電に力を入れていたら、今頃、脱炭素を達成するのはもっと楽だったのに」

ラミは残念そうにため息をついた。

「すぐに大規模な導入にならなかったのには理由があるの。太陽や風のような自然の力を使った発電では、発電量を一定にコントロールすることができないのよ。電力システムには、**〝同時同量の原則〟**っていうのがあって、**これを分かりやすく言うと、「ある瞬間に消費される電力の需要量」＝「発電される電力の供給量」**。需要に対して供給が不足したり、逆に供給が過剰になったりして**同時同量の原則が崩れると、電気の周波数が乱れてしまう。その結果、電力ネットワークにつながっているたくさんの機器や装置に不具合が起こったり、最悪の場合には、大規模停電になってしまう可能性もある**の」

「そうなの？」

ラミが思わず大きな声を上げた。

「つまり、そういった課題を解決する前に再エネを導入すると、電力システム全体が混乱する。だから、電力会社もすぐに賛成とは言えなかったのね」

「なるほど、そうだったんですね」

「でもね、あることを切っかけに急に進展し出した。それは、福島の原子力発電所の事故よ。その翌年、2012年には、電力自由化が始まり、同時に、再エネの導入も本格化したわ」

「どうして？　課題は解決したの？」

モコは、不思議に思った。

「福島の原発事故は、日本の全地域の電力会社にとても大きな影響を与えた。全ての原子力発電所の運転を停止したので、各電力会社は停電を起こさないために必死でLNG（液化天然ガス）を調達し、火力発電所を最大限稼働させたの」

「火力発電を？」

「そうするしかないわよね。電力会社は、ビジネスの採算を取るのも大変な状況になった。東京電力は事故の賠償を行うために、実質、国が保有する会社になった。そんな混乱があって、再エネの導入に反対している場合ではなくなった、といったところね。そのタイミングで、政府が電力自由化と再エネの大規模導入を推進する政策を打ち出したの」

「日本政府は、再エネを推進しなければいけない理由があったのでしょうか？」

「そう。1997年には国際的に京都議定書が採択されたし、2015年にはパリ協定が採択されたっていう話、覚えてるでしょ。2012年頃には、すでに欧米諸国を中心に気候変動リスクの議論が熱を帯びてきて、脱炭素化の大きな波がやってくるのは時間の問題だった。だから、日本政府としては、このタイミングで始めなければ世界の潮流から大幅に出遅れる、と考えたのでしょうね」

3人は、大きくうなずいた。

これまでエネルギーに関してなんにも知らなかったのに、毎回の対話を通して学んだことが、最近は急に1つにつながってきた気がする。世の中を見る新しいメガネをもらったようだ。

「日本政府は、再エネの大規模導入を推進するために補助金制度を取り入れ、加速度的に再エネを増やしていったわ。これを見て」

エナジーが、再エネの設備容量（発電能力）の推移を示したグラフを共有した。

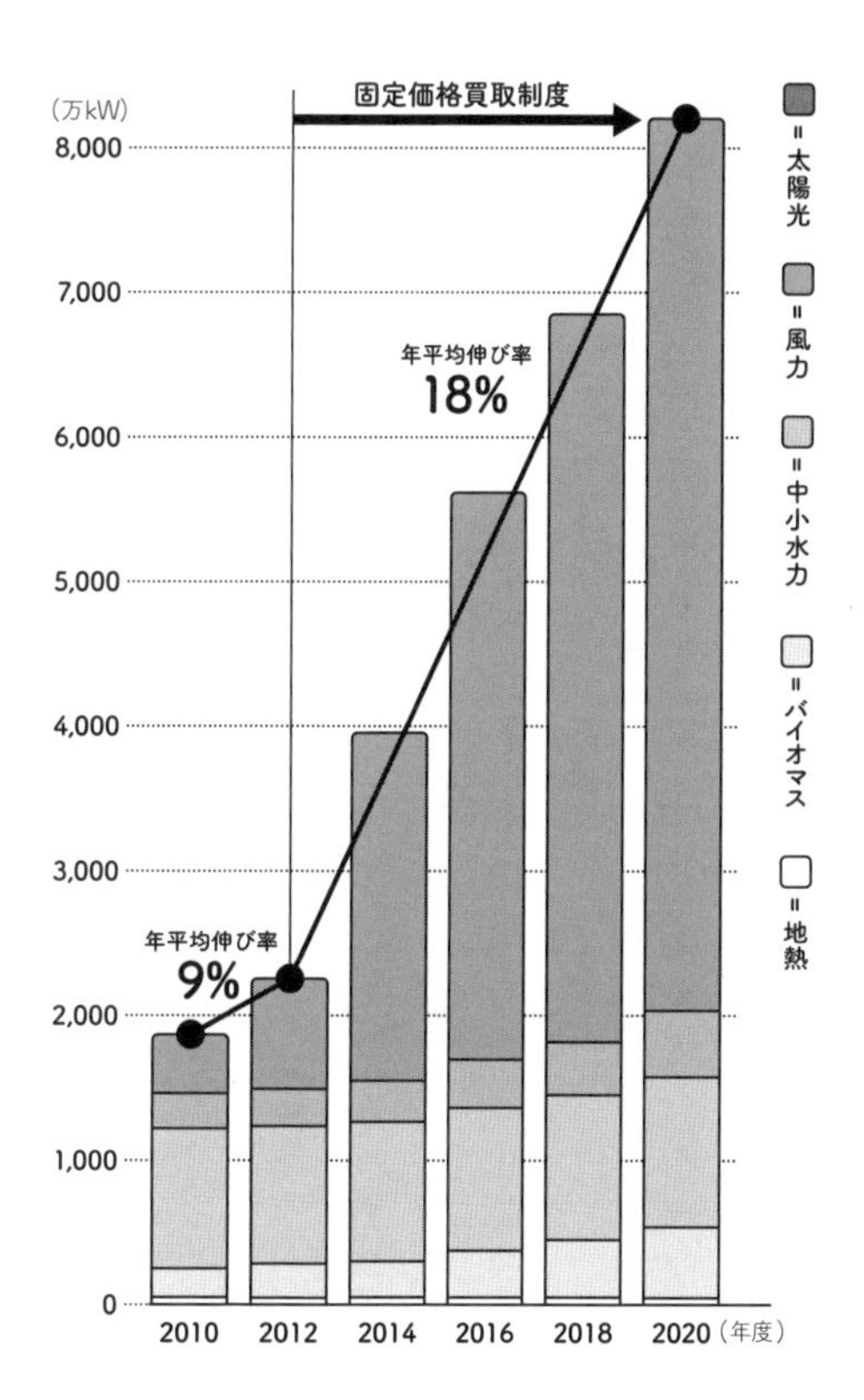

［出典］2021　日本が抱えているエネルギー問題（前編）／スペシャルコンテンツ／資源エネルギー庁 (enecho.meti.go.jp) をもとに作成

「わぁ、太陽光発電の伸び方がすごい！　この調子でいけば、再エネを主力電源にする、というのも実現できそうな気がするわ」

ラミの声がワントーン高い。

「再エネの発電量だけを見ると、国土の広い中国や米国の方が断然多くて、日本の再エネ導入はまだ足りない、もっと力を入れてやれ、と言う人もいるけど、**国土面積当たりの再エネ発電量を見てみると、実は断トツで日本が1位**【＊5】。**つまり日本は、現時点ですでに、狭い国土の中で設置可能な場所には、ギリギリいっぱいまで再エネを導入している**ということなのよ」

「発電量だけで比べても意味がないってことですね。そりゃあ、国土の広い国の方が再エネを導入する余地は多いですからね」

「つまり、それはどういうことか？　太陽光発電にしても、風力発電にしても、日本の国土を考えると、これ以上、陸上に設置するのは難しいところまできている、と言えるの。だから今後も増やせるかっていうと、それは難しいかもしれないってこと」

ラミはガックリと肩を落とした。

「日本の国土全体の7割が山地か丘陵地【＊6】ですからね。残りの3割の平地に人が住んで、都市や経済圏、生活圏が存在し、そして太陽光も風力も多くはその平地に設置されることを考えると納得です」

「え〜、じゃあ、どうすればいいの？　再エネを主力電源にするんでしょ？　もう日本は脱炭素、できないの？」モコは今にも泣き出しそうだ。

「そんなことないさ。陸がダメなら海があるだろう？　洋上風力だよ」

新たな再エネの可能性をカイトが提示した。

「ただ、日本は周囲を深い海で囲まれているから、ヨーロッパで使っている風力みたいに海底に鉄塔を埋める着床式は使えないんだ。だから、浮体式っていう新しい形態の風車を使う。風車を浮かべちゃうんだよ。すごいよね。

太陽光だって、平地に置けないのなら、屋根の上だってまだ空いているという発想。フィルム型の太陽電池、ペロブスカイトの開発も進んでいるってネットで見たことがある。これができれば、ビルの外側の壁とか窓とか、今使っていない場所に貼って発電することができる。こういう技術革新を進めていくことは、とても大事なんだ」

いつの間にか、カイトはすごい知識を自分のものにしていた。モコもラミもそんなカイトにびっくりした。エナジーも満足したように微笑んでいる。

「日本には資源はないけど、知恵があるって話したよね。国土も狭い日本は、ないない尽くしかもしれない。だからこそ私たちは、人という資源を大切に育てていく必要がある。そして、新しい技術や仕組みを作って、この国の限界を突破していくのよ！」

エナジーはとびきりのウインクをしてみせた。

3 日本の電源構成と2030年の目標

「ところで、日本では、どんな方法で、どれくらいの割合の電気が発電されているのかしら。次の図の右のグラフは、2021年度のもの。そして左のグラフは、**第6次エネルギー基本計画**【＊7】で提示された、2030年度に目指す電源構成を表したものよ」

日本の2021年度の電源構成

2021年度	
再エネ	20%
原子力	7%
天然ガス	34%
石炭	31%
石油	7%

2021年度
1兆327億kWh
（総発電電力量）

日本が2030年度に目指す電源構成

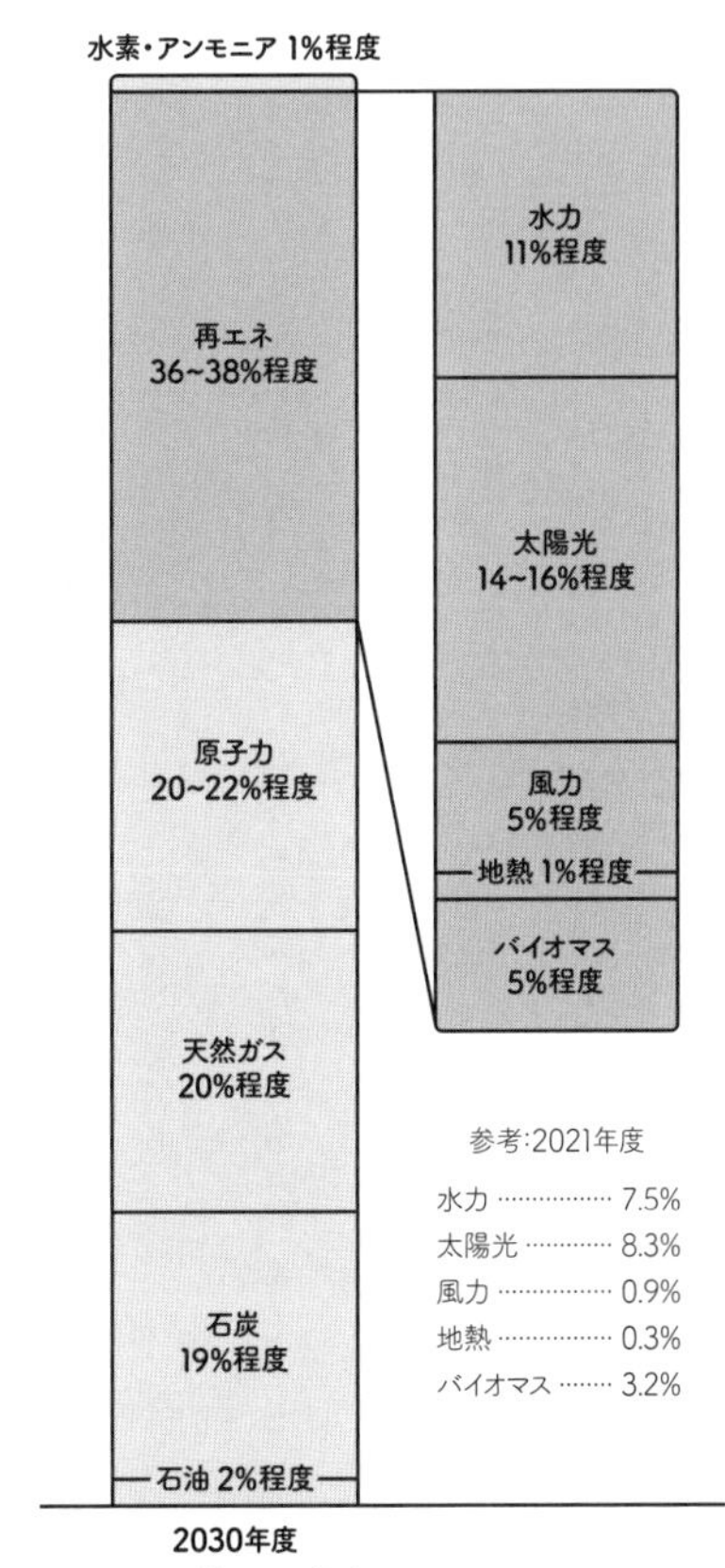

［出典］S＋3E／日本のエネルギー 2022年度版「エネルギーの今を知る10の質問」／広報パンフレット／資源エネルギー庁（enecho.meti.go.jp）をもとに作成

カイトは、少しの間、グラフを食い入るように見つめていた。

「なるほど。2030年度には再エネ比率は36～38％、そのうち、水力が11％程度となっていますから、水力を除いた場合の再エネ比率は25～27％ということになりますね。原子力が20～22％ですが、火力は石油、石炭、天然ガスの全部を合わせると41％になります。主力電源化、といった場合の再エネ発電比率は全体の4分の1だと分かります」

「その通り。水力は雨水を利用するから再エネではあるけれど（p212）、ダムを増やすのは難しいので、今後増やす再エネは太陽光と風力を中心に考えられているわ」

4 国によってメチャクチャ違う電源構成

「世界各国も、さまざまな事情と折り合いをつけながら脱炭素化に取り組んでいるんだけど、その状況はまさに千差万別なの。それがよく分かる資料があるわ。これを見て。主要国それぞれで使われている電力の割合を示したものよ。気がついたことを言ってみて」

最初に手を挙げたのはラミだった。

「ヨーロッパは再エネ比率が高い国が多いわ。特にドイツとイギリス。エナジーのお父さんの国、スペインも高いし、イタリアも他の国に比べると高い。ただ、ドイツは石炭の比率も結構高いわ」

「フランスはヨーロッパの中でも他の国と随分違う。原子力発電の比率がとても高い。で

主要国の電源構成

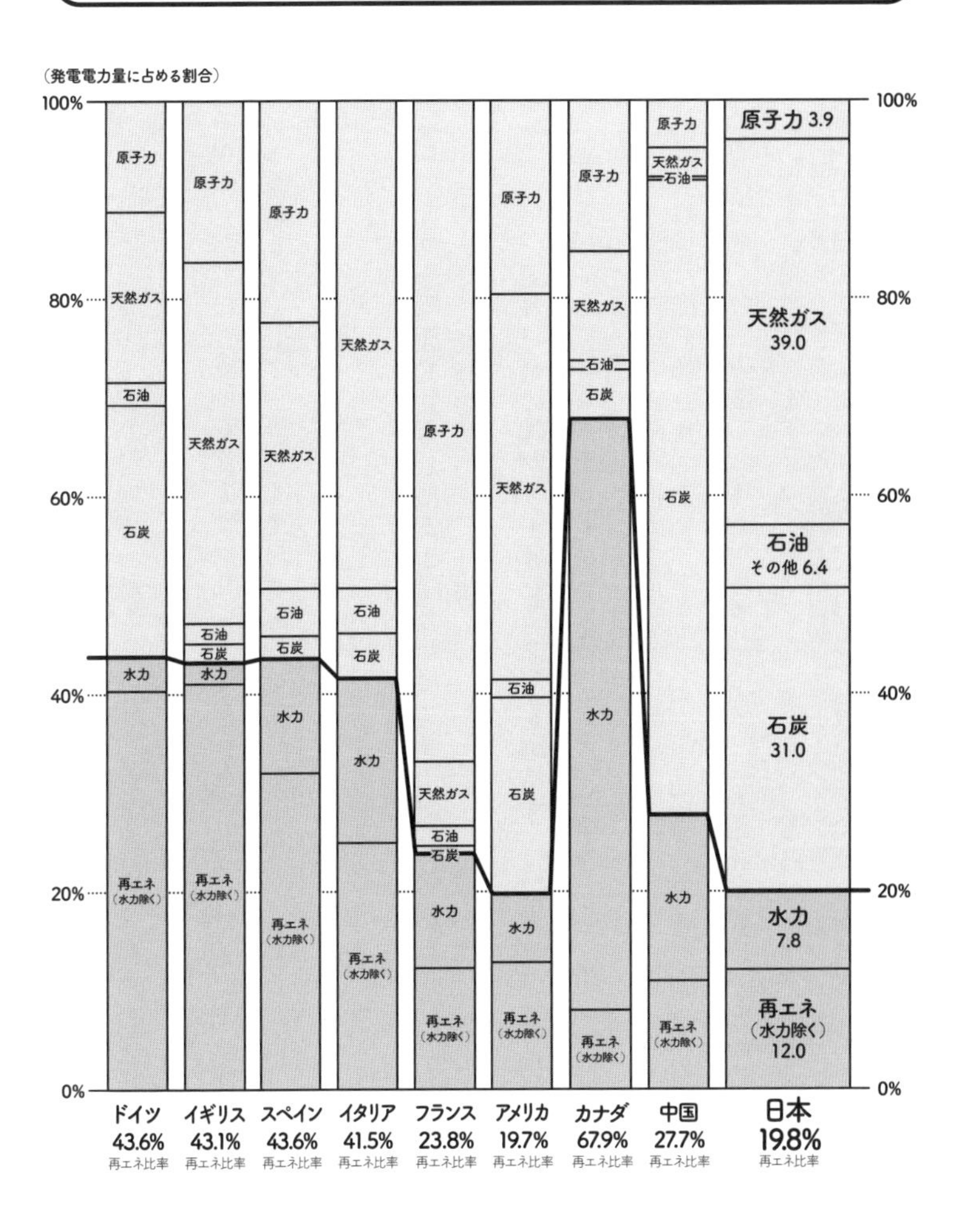

［出典］再エネ／日本のエネルギー2022年度版「エネルギーの今を知る10の質問」／広報パンフレット／資源エネルギー庁(enecho.meti.go.jp)をもとに作成

も、お隣のイタリアはほとんど原子力発電を使っていないみたい。どうしてなんだろう?」

モコは不思議だった。最後にカイトが言った。

「カナダは水力が主な電源なんですね。すごく比率が高い。中国は石炭。経済発展の真っただ中にある中国としては、安い石炭を使いたいところなんでしょうけど、これからは石炭火力に代わる電源を増やしていかなくてはならないでしょうね」

「みんな、資料を読み解く力が上がってきたわね。嬉しいわ。それじゃ、私の方からも少し説明を加えるわね」

エナジーは、グラフを画面で共有したまま話し始めた。


「まず大事なことは、それぞれの国がS+3E(p88)を維持するにはどうしたらいいか、を考えながら電源を構成しているってこと。国によって事情が違うから、電源構成も独自のものになるわ」

3人は、ふんふん、と首を縦に振った。

「簡単なところからいくと、中国。カイトが言った通り、経済発展が著しい中国では、石炭はとても使いやすい燃料ね。まず安いということ。そして、国内にたくさんの備蓄があるから、エネルギー安全保障上の心配もない。けれど環境適合の要件を満たしていないという、現時点での最大の欠点がある。中国の言い分は、カーボンニュートラルを達成するつもりはあるけれど、先進国のように2050年までにと明言できないので、2060年を目標として頑張る、というものね」

「頑張る、かぁ……。先は長いよねぇ」

ラミはちょっと不安になる。

「カナダは世界有数のエネルギー資源国。石油、天然ガス、石炭、ウランに加えて水力資源も豊富なとても恵まれた国よ。エネルギー生産量は国内需要を賄ってもまだ余るほどなので、輸出量も多い。自国の発電は、歴史的に水力を中心としていて、1950年代には水力発電の比率が95％にも達したらしいわ。その後、火力や原子力の開発も進み、現在の水準になったのよ。私たち日本から見たら、なんともうらやましい限りね」

「ほんと、いいなぁ」

「カナダと陸続きのアメリカは長らくエネルギー輸入国だったんだけど、2010年頃から国内でシェールガス、シェールオイルが生産可能となったの。このシェール革命によってエネルギーの輸出国に転じたわ。国内での電源もガス火力が一番多い、という状況よ。今後は、広大な土地を利用して太陽光や陸上風力を増やしたり、原子力も新しく建造したりすることによってバランスを整えていくと考えられているわ。それぞれの国が、まず自国にあるエネルギー資源の活用を優先しつつ、環境適合の要件を満たす工夫をしているということね。自国に資源を持つ国ならではよね」

それを聞いてカイトは、資源のない国、日本がよくここまで、資源を持つ国々と対等にやってこられたものだ、と改めて思った。

「ヨーロッパの状況を見てみようか。気候変動への対応の国際世論を形作っているリーダー的存在であるイギリスやドイツの電源構成は、予想通りといった感じがするけど、フランスだけは、明らかに原子力発電推しよね。なぜか？　そこには、日本と似たような事情があったのよ」

「え？　日本と似た事情？　どんな事情なの？」

ラミが興味津々で尋ねた。

「フランスも、石油や天然ガスといった化石燃料資源が国内になくて、産業革命頃の主要な国内電源は石炭と水力。石油はもっぱら輸入に頼っていたわ。１９７３年の石油ショックを切っかけに輸入石油への依存を減らすエネルギー政策を実施した。この時、特に原子力の開発に注力したことから、現在に至るまで、フランスでは原子力を電力政策の中心に据えている。そのおかげで１９８０年代以降、フランスのエネルギー自給率は著しく改善されて、現在では50％以上に達しているわ。原子力は、二酸化炭素も排出しないので、脱炭素にも寄与する。日本も原子力発電を一定程度使ってエネルギー自給率を上げようとしていたところに福島の事故が起こってしまった。国の命運は、それぞれなのよね」

エナジーは次にイタリアの説明を始めた。

「国内に資源がない国といえば、イタリアもそうで、エネルギーの約8割を輸入に頼っている。電源の約半分を占めるガス火力発電の燃料も大部分を輸入しているの。もちろん、エネルギー源の多様化などを含めた政策を定めたんだけれど、フランスと違って、原子力発電の利用については国民投票で否定されてしまった。その後、福島の事故が起こったのを受けて、イタリアは原子力を抜きにした新たな国家エネルギー戦略案を策定して今に至る、というわけ」

「イタリアは新しい路線を目指しているのね」

「そうよ、モコ。路線か、いい表現ね。また、私の父の国、スペインの電源構成は、ある意味日本が2030年に目指す形に近いと言えそうね。再エネが32％で水力が12％、ガス火力が27％、原子力が23％で、石油・石炭が合わせて7％。再エネ比率が少し高いけど、ほぼ日本のお手本みたい」

エナジーは嬉しそうに言った。

「スペインも化石燃料は乏しくて、石油や天然ガスは輸入に頼っているの。石油ショックの時に原子力に注力し始めたけれど、アメリカでの原子力発電所の事故【＊8】やウクライナ（当時はソ連）での原子力発電所の事故【＊9】の後、新規の原子力発電開発はストップ。今稼働しているのは、その前に建設された発電所よ。その後、発展したのが再エネ。途中、補助金政策が破綻したり【＊10】もしたけれど、豊富な風と太陽の光を存分に活用することができる地理的条件がそろっていて、現時点では電源の30％以上を再エネで賄っているわ。少し前にはスペインの首相が、再エネ100％も可能【＊11】と豪語していた。けれど、翌年は風が吹かず電気代が4倍になった【＊12】、という報道もある。まさに電力を全て自然任せにしてしまうことのリスクがあらわになってしまったと言えるわ。まぁ、これには政治的な背景もある。つまり、国民の支持の受けやすさや人気を意識した政治家の動きというのも頭に入れておく必要があるってことね」

「そうか。100％再エネで電力が賄(まかな)えたら、脱炭素化という意味では素晴らしいことだけど、それで本当にS＋3Eが維持できるのかってことだよね。それを国民もちゃんと考えて、政治家たちが言っていることは本当に実現可能なのか、生活に支障がないのか、そういうことを自分たちで考えないといけないってことね」

　モコは確認した。

「そういうことなの。**この対話の一番の目的はそこ。メディアや政治家の言うことを鵜呑(うの)みにしないで、まず自分で考える。そして自分で考えるためには、基礎的な知識と、考えるための基本的な枠組みを身に付けて、論理的に合理的に推論を展開できる力を付けることが大事よ**」

エナジーは、三度(みたび)、この対話の目指すところを示した。

「政治に翻弄(ほんろう)されている国と言えば、ドイツね」

「え、そうなの？」とラミ。

「残念ながらね」

エナジーはドイツの事情を説明し始めた。

「ドイツには、もともと褐炭(かったん)【＊13】と石炭が豊富にあって、これがドイツの工業発展を支えていたのよ。後に隣国ポーランド産の安価な輸入石炭が優位になって、国内の炭鉱は2018年には全部閉鎖された。現時点でドイツは、26％ぐらいの石炭火力を電源としているけれど、この石炭は全部輸入ものよ。原子力も1961年から使い始めたけれど、1970年代に原子力の利用に反対する市民運動が盛り上がり、その運動の中から環境政策を重視する政党、緑の党が誕生した。緑の党は1998年に発足したシュレーダー政権と連立を組み、この政権の時にドイツ国内の原発を2020年頃までに全て停止する法律が作られたのよ」

「それは、大きな決断だったんですよね」

「ええ。その後、首相に就任したメルケルは、原子力推進派の政党に属していたので、もともとは原発の利用に前向きな人だったの。そして運転期間の延長に踏み切ったすぐ後に福島の事故が起こって、原発推進の姿勢を転換せざるを得なくなった。実は、私の知人に、エネルギーの国際機関の事務局長を務めた日本人の方がいるんだけど、その方がメルケル氏に、原子力を止めてしまうのは国としてリスクがあるんじゃないか?と尋ねたところ、メルケル氏の答えはこうだったそうよ。『私は物理学者【＊14】です。原子力の必要性は誰よりも理解している。けれど、それを実行するためには、票が必要です』って。

その後ドイツは、17基あった原発を順次停止し、2023年4月に最後の1基を停止して脱原発を完結したの。でも、ロシアによるウクライナ侵攻が長引く中、ドイツではエネルギーの確保が大きな課題となっているわ。同時期の世論調査では、原発に賛成と答えた人が59%、反対の34%を大きく上回っているの。これから原子力発電について国としての決断を行っていく日本としては、ドイツの情況をよく見ておく必要があるわ。政治は世論を重視せざるを得ないけど、世論がいつも正しいわけではないからね。だから世の中のことを自分で理解して判断することがほんとに大事だと、私は思う」

3人は、ゆっくり大きくうなずいた。

「ドイツ政府は再エネを推進し始めて、その比率が40%以上という再エネ大国になったの。環境に配慮し、天然ガスの輸入も増やしたのだけれど、その輸入元がロシアだったことで、ウクライナ侵攻が始まってからドイツのエネルギー事情は混乱した。ロシア産の天然ガスが輸入できなくなって、他の市場から天然ガスやLNG（液化天然ガス）を調達しようとしたけれど、価格がとても高くなっていた。2022年1月時点で、ドイツの電気代は60%以上上昇する見通し【＊15】と報道されているわ。こんな状況を受けて、ドイツ政府は他国に資源を依存しなくてもいいように、2035年までに電源の100%再エネ化を目指す、と言っているけれど、本当に実現できるのか検証が必要ね。ただ、ドイツには、それが不可能とは言えない理由もあるの」

エナジーは一気に話し、一呼吸おいてから、テーブルの上のコーヒーに手を伸ばした。

5 衝撃！ヨーロッパの電力網はつながっている

「実はヨーロッパの国々は、こんなふうにお互いに国際連系線で電力網がつながっているの」

エナジーはヨーロッパの国々を結ぶ電力網と電力のやり取りを示した図を共有した。

3人にとって、これは衝撃的な事実だった。

「他の国と電力網がつながっている？それってどういうこと？」

モコには全く想像できなかった。

「欧州には、欧州連合、EUって呼ばれている共同体があるのね。加盟国は1つの経済圏として共同で発展していこう、そして安全保障上も共同していこうという目的で1990年代に始まったのよ。統一通貨のユーロについてはみんなも知ってるでしょ。通貨を統一し、金融の統一を図った後に、EUが統一を図ったものが電力網なの。それで、**欧州域内ではまるで一国であるかのように、電力網が国をま**

欧州の電力輸出入の状況（フランスの例 2020年）

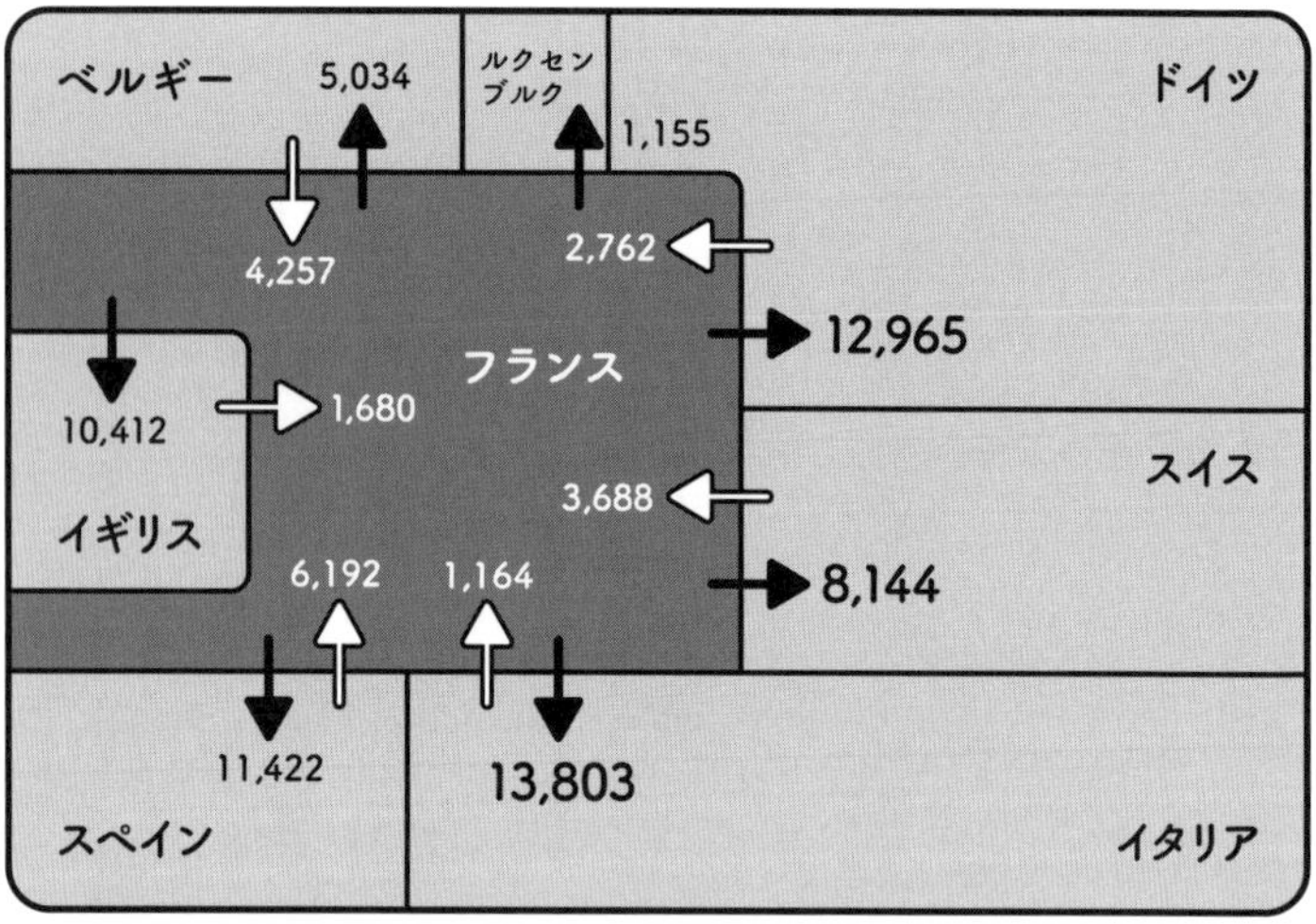

（注1）本図における輸出入の数字は、物理的な電力量の推移を示したもの。
（注2）電力が他の国を回って元の国に戻ってきた場合や、ある国を電力が通過した場合には、いずれも輸出量と輸入量の両方に加えている。

［出典］第2部 第2章 第3節 二次エネルギーの動向／
令和４年度エネルギーに関する年次報告（エネルギー白書2023）HTML版／
資源エネルギー庁（enecho.meti.go.jp）

たいで張り巡らされているのよ」

3人はそれまで知らなかった新しい世界を見るような気持ちになった。

「この図を見ても、ドイツはフランスからかなりの電力を買っていることが分かるでしょ？フランスの電力は、7割近くが原子力発電だから、それを輸入すれば、ドイツで原子力をやる必要はないし、ドイツが再エネ100%でも、どうにかなるかもしれないわね。もっとも、この図は物理的取引量なので、ドイツを経由して他国に行った分も含まれるけどね」

カイトは欧州の全く異なるエネルギー環境に驚きを隠せなかった。

「島国日本では、到底こんな状況は作れない。全くエネルギー政策は、その国特有の事情に左右されるんですね」

エナジーも、モコとラミも大きくうなずいた。

「最後にイギリスね。イギリスのエネルギー政策は、私には国の経済産業政策に密接に結びついているように見えるわ。日本のGX基本方針（p170）について話した時も、脱炭素化のためであるのと同時に経済成長戦略でもある、って話をしたけど、イギリスはもっと前からそういう考え方でエネルギー政策を作っているの。その証拠に、日本でいう経済産業省と環境省は一体化していたの。現時点では、その機能は3つの省に分割されているけど、それでも、イギリスは、常に温暖化対策は経済政策の一環と捉えているように見えるわ【＊16】。

　そもそもイギリスは産油国でもあり天然ガス生産国でもあって、エネルギーの大部分を化石燃料に依存してきたの。長年、北海で石油を採掘していたんだけれど、徐々に再エネへの注力に移行していったの。それまで石油を掘っていた北海を今度は風力発電に使うといった方針転換を2010年辺りから開始したわ」

「その頃から、気候変動リスクへの対応や温暖化対策としての脱炭素化の潮流がヨーロッパを中心に起こり始めたことを考えると、それが偶然だったのか、あるいは、意図的だったのか？といったところですね」

　カイトはいつの間にか、ミニ・エナジーと化していた。エナジーは小さく微笑んだ。

「誰も証明はできないけどね。だけど、脱炭素の議論が、再エネ先進国の多いヨーロッパに比較的優位だっていうのは否めないし、脱炭素をしなきゃ地球環境が守れない、というのも本当のこと。ヨーロッパの国々の、自国の事情を解決しながら世界の潮流を作ってしまう才覚は、歴史的に培われたものかもしれないわね」

「それぞれの国にそれぞれの事情がある。自分の国のS＋3Eを維持していくためにどうすればいいか、を個別に考えて実施していかなければならないってことね？」

　ラミは何かを見つけたように言った。

「その通り。**エネルギーの問題は、実は一国の固有の問題なの。けれど、環境の問題は地球規模の問題。**ここが難しいところね。中国やインドなどの新興国は、自国のエネルギー政策に口を出されるのは、本当は嫌でしょうね。日本だって、石炭を使っていることに対して、相当な批判を浴びているのよ。COP（コップ）でも連続で〝化石賞〟という皮肉な賞をもらったりね」

エナジーは苦笑いした。

6 それぞれの発電方法の特徴

「では、主な発電方法の特徴を簡単に整理していくわね。それぞれの特徴を理解した上で、どう組み合わせると、S＋3Eの達成に近づけるか、というところに解がありそうね」

① 火力発電

「まず、火力発電について。**火力発電のメリットは、燃料さえあれば安定して発電**

できること。そして、燃料の量を変えることで、迅速に出力を調整することができる。つまり調整能力が抜群に高いの。反対にデメリットは？　分かる人？」

モコが手を挙げた。

「日本にはガスも石油も石炭もないので、全部輸入に頼らなければならないこと！」

間髪入れずにラミが続けた。

「そして、二酸化炭素を排出します！」

「100点満点です。みんなには簡単すぎたね」

エナジーは嬉しそうに笑いながら言った。

② 水力発電

「次に、水力発電は、水が高いところから低いところへ流れ落ちる位置エネルギーを使って発電する方法ね。ダムにためられた水が水路を流れ落ちる勢いを使って水車を回し、この水車が発電機を回転させて電気をつくるの。

水力発電のメリットは、もちろん二酸化炭素を出さない、ということに加えて、発電や管理・維持にかかるコストが安いし、燃料は雨水だから、お金がかからないわね。さらに、エネルギー変換効率、つまり水を使った位置エネルギーがどれ

だけ電力エネルギーになるか、ということなんだけど、それが極めて高くて無駄がない。

究極は、夜中の電力需要が低い時間帯にその電力を使ってポンプを動かし、水を下から上に汲み上げる。これを揚水（ようすい）っていうんだけど。そうして、電力需要が多い時間や、電力不足になりそうな時に、この水を上からバシャーンと放水して発電するっていう使い方ができるの。これ、すごくない？　**夜に余った電気を、水を使って蓄電して後で使う。つまり自然の蓄電池なのよ！**　ここ数年に何度か起こった電力ひっ迫！の時に、私たちこれに結構助けられているのよ」

「へえ、水力発電って頼もしい」

モコは、小学生の頃に食べた黒部ダムのダムカレーを懐かしく思い出していた。

「ただ、デメリットもあるわ。雨量は調節できないし、年々、雨の降り方が変わってきていて、ダムの貯水量の維持が難しくなってきているのは確かよ。

それにダムは巨大な建造物で、建設費用も高いのみならず、ダム用地となった町は水没することになるので住んでいる人々の同意が必要になる。彼らの生活も保障しなくてはならないわ。また、山の中にダムを造ることによって周辺環境や河川の生態系に影響を及ぼす可能性もあるの」

③ 原子力発電

「原子力発電は、今、次世代への大きな変革の時期に来ているので、次の対話で詳しく掘り下げていくわね。ここで覚えておいてほしいことは、原子力発電は、ウラン燃料が核分裂する時の熱エネルギーを活用して水を沸かし、その時に生じる蒸気でタービンを回して発電する方法ってこと。だから、その原理は火力発電と同じ。

だけど、ウランの最大の特徴は、エネルギー密度が他の燃料とは比べ物にならないほど高いこと。それで、**原子力は、安定的に大量の電力を供給できて、発電量当たりの単価が安く、経済性が高いの。もちろん、二酸化炭素も排出しないわ。**さらに、核燃料サイクルが実現すれば、ウラン燃料をリサイクルして、より長く使用できる。だから原子力発電は、準国産エネルギーと言われているの。

その一方で、原子力に対する世論はさまざまで、原子力発電所を新しく建てるには、たくさんのことを詳細に考えておく必要があって相当なコストと手間がかかるわ。それに、原子力発電所は、稼働し始めるとすぐには止められないし、止めたらすぐには稼働できないから、ある意味で融通は利かないの」

④ 太陽光発電

「太陽光発電はね、太陽電池をたくさん集めたソーラーパネルを使用して電気をつくる発電で、太陽の光エネルギーを電力に変換する発電機を使った発電のことよ。

太陽光発電のメリットは、**二酸化炭素を排出しないことに加えて、日当たりが良い場所なら特に大きな制限はないし、狭いスペースでも設置が可能。だから、電力会社じゃなくても太陽光発電を事業としている小規模の会社もあれば、個人でやっている人もいる**でしょ。電源としては、分散型電源と言われていて遠隔地でも発電できるし、**非常用の電源としても使えるというメリットがある。**水力や原子力に比べると、お手軽にできる発電と言えるわ。

けれど、一方で、お日様が出ない日や雨が続くと発電しなかったり、逆に日照時間が長すぎて消費する以上の電力を発電してしまうと、同時同量の原則（p191）によって、余剰の電力ができ、その分は無駄になってしまったりもするの」

⑤ 風力発電

「風力発電は、今日の冒頭で話した通りよ。風の力によって風車の羽根（ブレード）を回転させ、その動力をタービンで電気に変換して発電する方法。二酸化炭素を出さないし、風さえ吹けば24時間発電ができるわ。ただ、大規模な風力発電ができる陸地は限られているわ。それで政府は洋上風力開発を推進し始めたの」

⑥ 地熱発電

「多くの可能性がありながら開発されていない地熱エネルギーを使った発電について、少しだけ言っておくわね。地熱発電は、マグマによって生じた高温の蒸気を利用して、タービンを回転させて電気をつくる発電方式よ。火力や原子力は、熱で水を沸かして蒸気にして、それでタービンを回すのだけど、**地熱発電は水を蒸気にする手間がいらないの。二酸化炭素は出ないし、燃料となるマグマは地中にたくさんあって枯渇する心配がない。太陽光や風力のように天候や季節、時間帯にも左右されず、さらに言えば、火山大国の日本が持つ数少ない豊富な燃料資源**とも言えるの。ただし、発電効率は比較的低い。地熱は拡散してしまいやすいからね。開発コストや建設コストも高く、さらに適地が国立公園などに指定されていて、開発できなかったり、温泉事業に影響を及ぼしたりといったデメリットもあるわ。そういう事情で、日本政府も2030年に目標とする電源構成の中でも、地熱をほとんど考慮していないのよ。残念だけど」

⑦ バイオマス発電

「バイオマス発電は、太陽光や風力のような自然エネルギーを使った発電ではなくて、動植物から生まれた資源を燃料とする火力発電なの。燃料となるのは、製材工場残材、古紙、家畜の排せつ物、生活排水や食品廃棄物、林地残材、間伐材や稲わら・もみ殻、麦わら、水草、海草、藻類、糖、でんぷん、植物油といったもの。自然の営みから生まれるものを燃料とするため、便宜上、再生可能エネルギーに含まれているの。ただね、バイオマス発電では、それらのバイオ燃料を燃焼させて、エネルギーとするので、当然、燃焼時の二酸化炭素が排出されるの」

「え、それじゃ、脱炭素じゃなくない？」とモコ。

「確かにね。興味があれば、調べてみるといいわ」

⑧ チームワークで弱点を補い合う

「それぞれの発電方法の特徴、メリットとデメリットを説明したけど、要は、どれか1つだけを使うよりも、異なる電源をうまく組み合わせて使った方が、電源の分散化や輸入燃料の多様化にも役立つし、それぞれのデメリットを補い合うこともできる、ということなの。これを見て」

エナジーは新しい図を共有した。

「これは、私たちが1日のうちに使う電力量を時間ごとに表したもの。左側は夜明け前。この時間帯には、まだ電力消費量は少ない。でも朝になって、照明をつけたり、ごはんの支度をしたり、テレビをつけたり、夏や冬にはエアコンの冷房や暖房をつけたりすると、電力の消費量は徐々に増

電力需要に対応した発電方法の組み合わせ

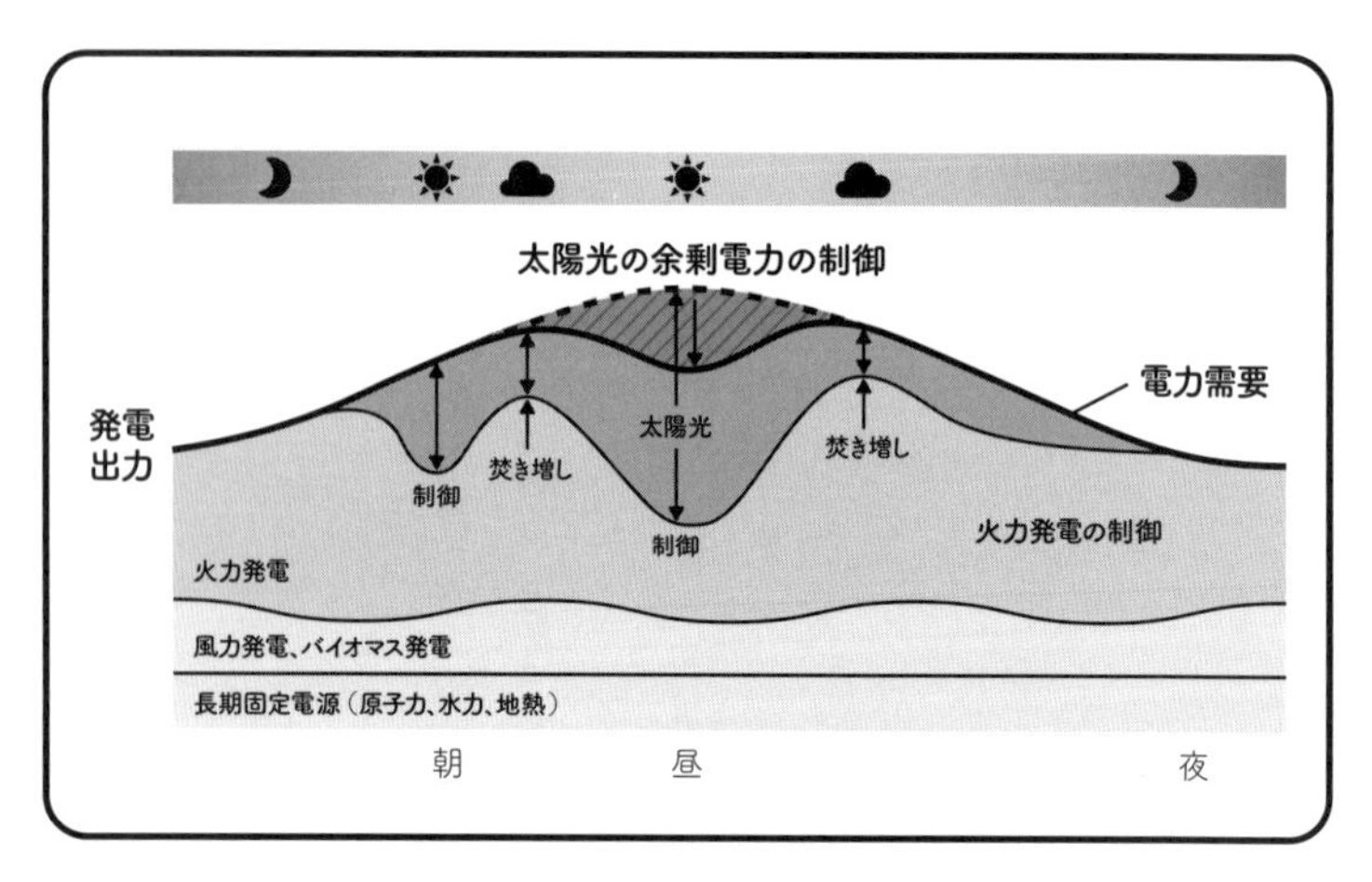

〔出典〕日本原子力文化財団「原子力・エネルギー図面集」

えていく。会社や工場も夜の間は止まっていた機械が一斉に動き出すから昼間の電力消費量はどんどん増えていく。

真ん中ぐらいでちょっと凹んでいるのは、お昼休みね。工場の機械も一度止まったりするので、必要な電力の量が少し減る。そしてまた、午後の活動が始まる。夕方から夜になるとまた工場の機械は止まって、みんな家に帰って、テレビ見たり、ごはん食べたり、ゲームしたり、お風呂に入ったりした後に、電気を消してベッドに入る。この太い線は、こういった1日の活動とそのための電力消費量を表しているのよ。出力が安定しない太陽光だけでは電力需要を満たせないので、調整力として火力発電を使うの」

7 再生可能エネルギーの大きな2つの問題

「二酸化炭素を排出しない、という意味では、再エネはとても有効である一方で、再エネに特有の弱点もあるの。ここでは、大きな弱点2つについて理解していくわよ。みんな、再エネの弱点、思いつく？」

「太陽の光や風を使うので、発電する時間や量のコントロールができないこと」

モコが、これまでの対話の内容を思い出しながら答えた。

「ピンポーン！　これを、〝**時間の制約**〟と呼ぶことにするわ」

正解の合図とともに、エナジーはこの弱点に名前をつけた。

「もう1つ、あるんだけど」

「えっと、住民や土地の産業にも迷惑をかけない適した土地が必要ということ、でしょうか。風力は北海道の道北が適地、という話でしたけど」

「半分、正解。でもこれはちょっと難しい問題ね。それは、発電ができる場所と、その電力を使う場所が離れているということなの。これを〝**空間の制約**〟と呼ぶことにするわ。再エネの主な弱点は、この2つに集約できる」

一呼吸おくと、エナジーはさらに続けた。

①時間の制約

「まず、時間の制約について説明するわね。これは主に太陽光発電に顕著な弱点と言える。太陽光発電所のオーナーの多くは電力会社ではなくて、一般の企業や個人が多い」

「一般の人でもいいの？」

「そうよ、個人でソーラーパネルをつけている家があるでしょ。発電した電力を一定の値段で電力会社に売るの。売却する価格は補助金政策で規定されていて、固定買取価格と呼ばれているわ【*17】。つまり、太陽光発電所のオーナーは、発電した電力を固定買取価格で電力会社に売る。その時に、電力会社に向けて送電網に電力を流す、いわゆる逆潮流を行うわけ（電力会社から消費者に電力を流すことは順潮流）」

「簡単に売れるシステムになっているのね」

「必要な条件を満たして申請すればね。電力システム全体としては、ベースロード電源（石炭、原子力、水力、地熱）に加えて、調整役の火力発電を使って、全体の電力供給量が不足しそうな時や余りそうな時に調整する。夜に発電する分は、揚水発電の揚水に使ったりして、同時同量を維持しているわけ。

けれど、それでもまだ、発電量が需要量を上回る場合には、さらに発電量を調整する必要がある。そんな場合には、電力会社は太陽光発電からの逆潮流を止めて対応せざるを得ない。これを**出力制限**っていうの」

「それはつまり、出力制限をした時間帯に太陽光発電で発電された電力は、電力会社の送電網には送られず、結果として使われずに無駄になる、ということですか？」

カイトはせっかく導入した再エネで発電した電力を、使わずに出力制限して無駄にするということが理解できなかった。しかし、それほど〝同時同量の原則〟を崩すことのデメリットが大きいのか……。

「残念ながらそういうこと。これが、いわゆる再エネ、主に太陽光発電に見られる時間の制約よ」

② 空間の制約

「次は空間の制約についてよ。陸上風力の適地は道北辺りだったわね。そして、太陽光発電をするのに日照のいいのは、どうやら九州辺りらしい。特に北海道は、今後の洋上風力の開発余地も含めると、相当な容量の発電ができそうね」

3人は、エナジーのこの言葉をポジティブな意味に受け取った。だが、どうやらそういう意味ではなさそうだった。

「ところで、今日の対話の最初に見せた動画を思い出してみて。風車はたくさんあったけど、あの場所に電力を必要としそうな家や施設、会社や工場はあったかしら?」

3人は、ハッとした。そういえば、一面に広がる丘陵と空のほかには何もなかった。

「北海道内の送電網は、道南はそこそこ充実しているけれど、その他の地域はとてもまばらなの。そこには人も産業もないっていうことの裏返しだと思うんだけど」

「そうか……。再エネ、特に大型の風力発電や、ましてや洋上風力発電所で発電をしても、近くに消費する人や工場や施設がなかったら、発電した電気が無駄になってしまいますね……」

カイトは、これからの可能性としての洋上風力に期待していただけに、絶望的な気持ちになった。

「そう。それが空間の制約よ」

8 解決策は必ずある

暗く落ち込んだ3人に、エナジーは活を入れた。

「こら〜！　ただ、落ち込んでいても意味がないわよ。おそらく、解決策は複数あって、すでに着手している人たちもいるわ」

しばらく神妙に考え込んでいたが、最初に声を上げたのは、カイトだった。

「マイクロソフトやアップルなどのGAFA（ガーファ）と呼ばれるグローバル企業は、各国の仕入れ先に対して、脱炭素化を要請している、と聞いたことがあります。ということは、例えば、半導体の工場やデータセンターといったかなり電力を必要とする施設を北海道に移設する、という方向の解を探せばいいのかもしれないですね」

「よくたどり着いたね。そう、良い考え方。でも反面、半導体製造には多くの部材や人材が必要になる。産業の集積地を作ることが必要ね。それによって、経済圏としてはか細かった北海道に雇用が生まれるし、今後温暖化の影響で、毎年少しずつ温度が上がっていくとすれば、半導体工場のように温度管理が求められる施設が北海道に移る意味は、大いにあるでしょうね」

「半導体の会社が北海道にできるって、ニュースで言ってた!」とラミ。

「『データセンターの一大集積地を北海道に作る』という道の構想も立ち上がっているわ。今後、北海道で増えていくカーボンフリー(二酸化炭素を含む温室効果ガスを出さない)の電力を使えるだけでなく、道内の冷涼な気候によって機器の冷却コストを抑えられるというメリットもあるし、首都圏の大規模災害に備えた拠点の分散化も同時に実現できる、というアイデアね」

カイトは、再エネの適地の話が、遠隔の再エネ発電所近くで需要を生み出すための施策の話と関連していることに興奮を覚えた。この話は、日本という国の在り方を抜本的に変えるのかもしれない。**僕たちがエネルギーとの付き合い方を変えるというのは、実は、国の在り方も変革していく、ということなのかもしれない。**

そんなことを考え、意識が遠く未来に向かってしまったカイトをよそに、

「今日も長い時間、旅にお付き合いいただき、ありがとうございました〜。ではまた〜！

アディオス　イ　アスタ　ルエゴ！」

と、エナジーは手を振りながら画面を切った。

茫然としたモコとラミ、そしてカイトを残して。

【＊1】会社概要／株式会社ユーラスエナジーホールディングス（eurus-energy.com）
【＊2】内発協ニュース／2011年4月号 新エネルギー＆再生可能エネルギー特集　宗谷岬ウインドファーム（北海道稚内市）2011_04_22.pdf／一般財団法人日本内燃力発電設備協会（nega.or.jp）
【＊3】宗谷岬ウインドファーム／北海道STYLE（hokkaido-travel.com）
【＊4】「日本における都道府県別風力発電導入量（基数順）」（2018年3月末現在）／国立研究開発法人 新エネルギー・産業技術総合開発機構 10_pref_dounyuu_kisuu_sort.pdf（nedo.go.jp）
【＊5】2021・7・2 太陽光パネルが国土を覆う日、脱炭素達成に向けた厳しい道のり - Bloomberg
【＊6】山が多く森林にめぐまれた国土／一般財団法人日本国際協力センター（jice.or.jp）
【＊7】第6次エネルギー基本計画が閣議決定されました（METI／経済産業省）
【＊8】1979年に発生したアメリカ・スリーマイル島原子力発電所での事故
【＊9】1985年に発生したウクライナ（当時はソ連）・チェルノブイリ原子力発電所での事故

【＊10】２０１４・12・12 報道ステーションが伝えない再エネの不都合な真実 政策破綻のスペインから学ぶことは何か／Wedge ONLINE（ウェッジ・オンライン）(wedge.ismedia.jp)

【＊11】２０１８・11・22「２０５０年までに１００％再エネ電力」、スペインが政策案－日本経済新聞 (nikkei.com)

【＊12】２０２１・12・５ 風が吹かず電力価格が４倍に…「脱炭素の優等生」スペインが陥った再エネ依存の悲劇 地球への配慮が、庶民の生活に打撃／PRESIDENT Online（プレジデントオンライン）

【＊13】石炭の中でも石炭化度が低く、水分や不純物の多い、最も低品位なもの

【＊14】２０２２・１・８ 物理学者だったメルケルはなぜ首相になった？その歩みと引退後の影響／THE OWNER (the-owner.jp)

【＊15】２０２２・１・５ ドイツ平均世帯の電気・ガス料金、今年は６割超上昇へ／ロイター（reuters.com）

【＊16】テリーザ・メイが２０１６年７月14日に首相に任命されたのを受けて、ビジネス・イノベーション・技能省とエネルギー・気候変動省が統合された結果、ビジネス・エネルギー・産業戦略省（Department for Business, Energy and Industrial Strategy, BEIS）が創設された。その後２０２３年２月、エネルギー安全保障・ネットゼロ省、ビジネス・通商省、科学・イノベーション・技術省に分割再編された

【＊17】買取価格・期間等／ＦＩＴ・ＦＩＰ制度／なっとく！再生可能エネルギー／資源エネルギー庁 (enecho.meti.go.jp)

対話6 まとめ

・日本での最初の再エネ政策は、1973年の石油ショックの直後に始まった。

・しかし、再エネ政策の流れは加速しなかった。自然エネルギーを使った発電では、発電量を一定にコントロールすることができず、電力システムに特有の、〝同時同量の原則〟が保てない。同時同量の原則が崩れると、電気の周波数が乱れ、電力ネットワークにつながっている機器や装置に不具合が生じたり、大規模停電になってしまう可能性もあった。この課題を解決する前に、再エネの大規模導入には踏み切りにくかった。

・2011年の福島の原発事故の翌年、電力自由化が始まり、再エネの導入も本格化した。その頃には、欧米諸国を中心に気候変動リスクの議論が熱を帯びてきて、脱炭素化の大きな波がやってくるのは時間の問題だった。

・日本は、国土面積当たりの再エネ発電量は世界1位。現時点ですでに、狭い国土の中で設置可能な場所には、ぎりぎりまで再エネを導入している。今後、洋上風力や、太陽光なら屋根の上や、新しい技術のペロブスカイトを使ってビルの壁面や窓に設置することを促進する必要がある。

・世界各国も、その国固有の事情と折り合いをつけながら脱炭素化に取り組んでいる。その状況はまさに千差万別。エネルギーの問題は、一国に固有の問題であるが、環境の問題は地球規模の問題というのが難しいところ。

・それぞれの発電方法の特徴にメリットとデメリットがあり、完璧な方法は1つもない。異なる電源をうまく組み合わせて、S＋3Eを維持することが重要。

・再エネの主力電源化（全体の発電量の4分の1程度）を考えると、太陽光や風力のような分散型エネルギーの活用を促す社会に変革していく必要がある。

対話7
サステナブルな原子力発電とは？

1 原子炉の実物大模型

開始時刻の少し前、接続したパソコンの画面に映し出されたのは、見上げるほど背の高い、巨大なマシンだった。それは、とてつもない威圧感と同時に、美しささえ感じさせる。上から3分の2ぐらいは細いパイプ状の物が無数に並んでいて、まるでパイプオルガンのようだ。赤い光で照らされ、妖しげにも見える。下の方は薄暗く、青黒い光が見える。ここにも棒状の物が見えるが、上部の物よりは少し太く、数も少ない。大きな円筒を中心にして、両脇には上から太いパイプが下に向かって通っていて、それは3分の2ほどの高さのところで、正面に向かって口を開いている。3人はまるで、SF映画の中に入り込んでしまったかのような錯覚を覚えた。

「オラ〜チコス！　オス　グスタ？　おーい、みんな！　どう、これ、気に入った？」

いつもの陽気な声とともに、エナジーが画面に入ってきた。今日はスマホをスタンドに立てているらしい。大きな物体を捉えるために、引きで撮っている。画面のエナジーは親指姫みたいに小さく見えた。褐色の長い髪を頭のてっぺんでお団子にして、赤い大きな花を挿している。ラテンっぽいボヘミアンスタイルの服装は、場違いな感じもするが、そんなことお構いなしだ。スマホに向かって、大きく手を振っている。

モコは待ちきれずに第一声を上げた。

「SFに出てくるマシンみたいな物が見えるけど、一体これ、なぁに？」

「なんだと思う？　なんと。これ、原子炉よ！　もちろん模型だけど実物大なの。大きいでしょ！」

カイトは目を見張り、モコは口をあんぐりと開け、ラミは両手で口を押さえた。

「エナジー、そこは、どこ？」

スマホスタンドに向かって走り寄ってきたエナジー。その顔が、いきなり画面にどアップになった。

「私は今、静岡県御前崎（おまえざき）市にある浜岡原子力館【＊1】にいるの。中部電力の浜岡原子力発電所の敷地内にある施設でね、原子力を中心に、エネルギー全般について、実際に見て触れて学ぶことができるのよ。中でも、この浜岡原子力発電所3号機原子炉の実物大模型は高さが22メートル、横幅10メートル以上もあるのよ」

パソコンの画面で見ていても、その大きさは想像でき、圧倒される。

「今日の対話のテーマは、原子力についてということですね。僕、とても興味があります」

カイトは少し興奮気味に言った。

「そうそう。GX基本方針（p170）にも、原子力の活用って入ってた」

モコはノートをめくった。

「でも、原子力発電は、もっと安全性が高いものにしていく必要がありますよね」

カイトはモヤモヤした気持ちを、ストレートに伝えた。

「オーケー。今日は、サステナブル（持続可能）な社会を実現するために、日本の原子力発電がこれからどう進化していかなければならないか？　それを探る旅をしよう。その前に、ちょっと場所を変えるわね。5分待ってて」

2　原子力発電の2つのメリット

①半端ない！　ウランのエネルギー量

エナジーは、浜岡原子力館のロビーの椅子に座るやいなや、話を始めた。

「世の中の多くは、原子力って聞くと、いいとか悪いとか、賛成とか反対とかっていう表面的な判断をしがちだけど、それじゃあほんとに社会の役に立つエネルギー資源は何か、という議論はできないわ。今後、原子力についてさまざまな判断を求められた時に、客観的に論理的に、一定の科学的事実を踏まえた上で自分の考えを持てるようになることが必要よ。メディアや政治家の言うことを鵜呑みにせず、人に流されず、自分の意見を持つことが大事。分かるわね」

「うん、これまでも、エナジーが私たちに言っていたことだよね」

　モコは大きくうなずいた。

「じゃあ、まず、原子力って何がそんなにすごいのか、もう一度整理してみよう。ちょっとこれを見て。この図は、1時間に100万キロワットの発電を、1年間継続して

100万キロワット／時を
1年間継続運転するのに必要な燃料の量

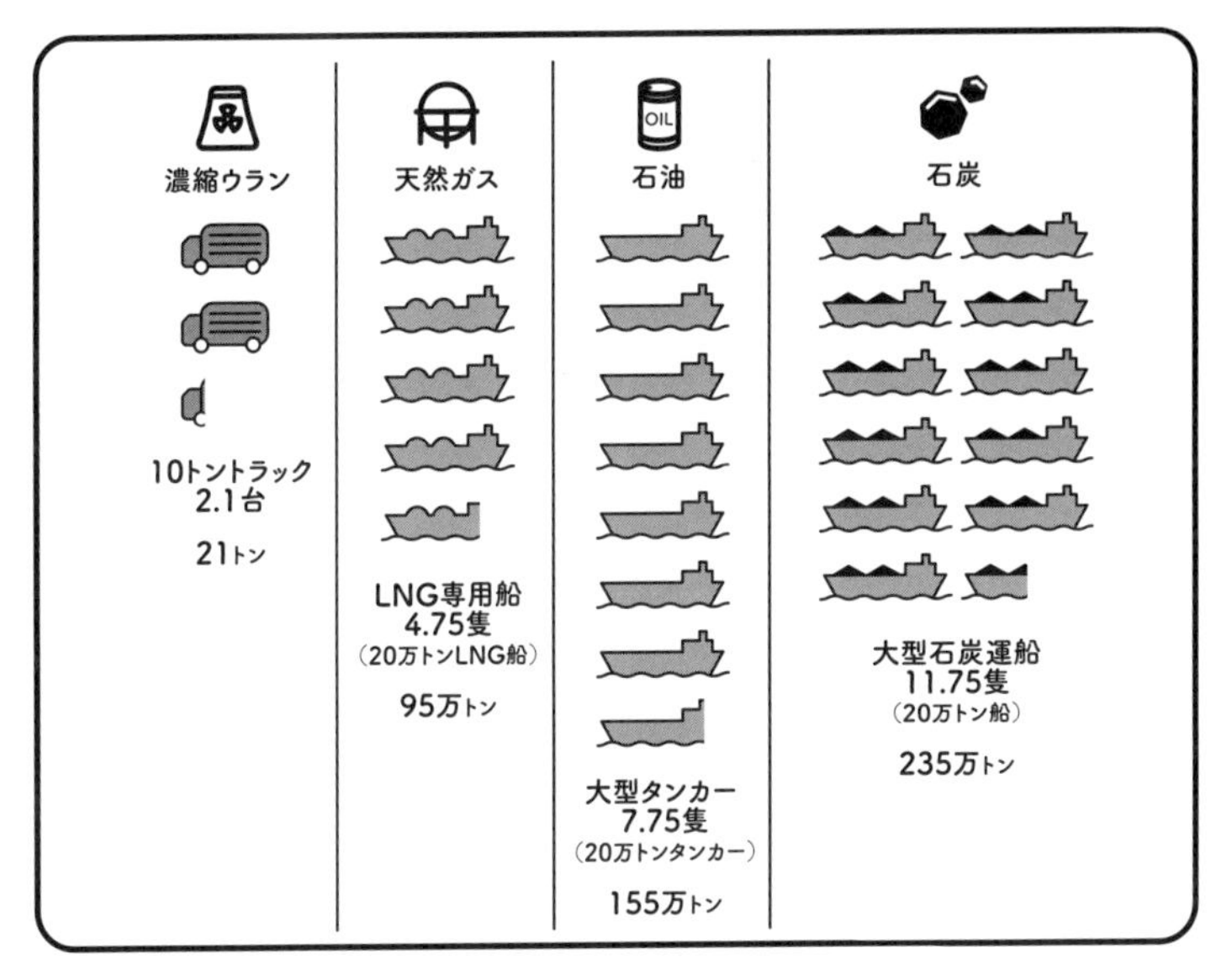

［出典］原発のコストを考える／原子力／スペシャルコンテンツ／資源エネルギー庁（enecho.meti.go.jp）をもとに作成

行うために必要な燃料の量を比べたものよ。天然ガスは95万トン、石油は155万トン、石炭は235万トン必要なのに対して、濃縮ウランはたったの21トン。つまり、ウランはエネルギー密度がずば抜けて高くて、少量のウラン燃料で莫大な発電量が長期間得られるの。これが最大の特徴ね。重さで比べても石油の7万分の1の量で、同じ量の電力を発電できるということ」

「再エネと比較するとどうなのかしら？」ラミが尋ねた。

「100万キロワットの原子力発電所が1年間運転した場合の電気の量を、再エネでつくる場合で考えてみようか。再エネは、燃料費はいらないわね。けれど、例えば太陽光発電で同じだけの電力をつくるには、約58平方キロメートルの敷地に太陽光パネルを敷き詰めなければならない。おおよそ山手線の内側ぐらいの広さよ。風力発電の場合には、さらに214平方キロメートルの敷地が必要で、山手線の内側の3・4倍の広さ。風車同士は間隔を空けて設置しなければならないので、敷地面積が広くなってしまうの。それに比べて、原子力発電所に必要な敷地面積は約0・6平方キロメートル【*2】」

「そうか、ウランが持つエネルギー量は他の燃料や再エネとは比べ物にならないほど大きいってことですね」

「そう。だからさまざまな課題はあるけど、人類は原子力発電を追求し続けるんだと思うわ。さて、ウラン燃料を使う原子力発電には、もう1つ、とっても優れた特徴があるんだけど分かるかしら？」

②リサイクルできる！　ウラン燃料

「あ、それって原子力発電が準国産エネルギーとか、夢のエネルギーと呼ばれることに関連しているものですか？」

「そうよ。さっき見た浜岡原子力館の模型は、軽水炉（けいすいろ）と呼ばれる形式なんだけど、今、日本にある原子力発電所は全て軽水炉よ。

ところで、燃料になる天然ウランの中には、ウラン235とウラン238が含まれているの。軽水炉では、そのうち、ウラン235に中性子を当てて核分裂させることでエネルギーを取り出すわ。もう1つのウラン238は核分裂しにくいの。でも、ウラン238は中性子を吸収すると一部がプルトニウム239に変化する。つまり、使用済み燃料の中には、核分裂しそこなったウラン235とプルトニウム239が残るというわけ」

「ちょっと待って、エナジー。ウランにもいろいろあるってこと？」

「そうね。少し説明が必要ね。ウランには235と238があって、この2つは兄弟なのね。自然界にはウラン238の方が断然多くて、ウラン235の0・7％に対してウラン238は99・3％というのが天然ウランに含まれる比率よ。ややこしいけど、ざっくり言うと自然界にある割合は多いけど、分裂しにくいのが238、自然界にある割合はほんの少しだけど、分裂しやすくて燃料として使いやすいのが235。今はそれぐらいで覚えておいて。

この使用済み燃料を再処理して、もう一度ウラン燃料やウランとプルトニウムを混ぜた燃料（MOX燃料）としてリサイクルすれば、資源のない日本は、安定的にエネルギーを確保することができる。だから、準国産エネルギーとか、夢のエネルギーとか呼ばれるようになったのよ」

「準国産エネルギー？」

「そうよ。再処理した燃料を利用すると、資源の1～2割が節約できるらしいわ。さらに、ウラン238をプルトニウムに転換するためのより優れた高速炉が完成すれば、もっと利用効率があがると期待されているの【＊3】。高速炉については、後で説明するわね」

「ウラン燃料はリサイクルできるの？　すごい、そんな燃料、ほかにはないよね！」

モコは興奮した。

「その上、発電する時に二酸化炭素も出さないんだから、ホントにすごいわ！」

ラミも顔を輝かせた。

しかし、カイトは腕組みをしながら難しい表情だった。

「でも……そんなにすごいなら、なぜ反対する人がこんなに多いんだろう？　原子力には、すごいところがあるのと同時に、同じぐらい難しい課題もあるんじゃないでしょうか？」

「カイト、よく考えたわね。そうなの。すごいエネルギーを持っているウランを使っていくには、ウラン特有の難しい課題をどう制御していくかを考える必要がある。じゃ、次は、何が難しい課題なのかを整理していこう」

3 原子力発電のデメリット

「みんな、これを見て。原子力発電を取り扱う難しさを3つのポイントにまとめてみたわ。見える？」

エナジーが映した画用紙には、こう書いてあった。

3人は画面をじっと見つめ、ノートに書き留めた。

原子力発電の重要トリセツ

① 原子炉の安全性向上

② 使用済み燃料に含まれる放射性廃棄物の問題

③ 核兵器不拡散条約への準拠

トリセツ① 原子炉の安全性向上――止める、冷やす、閉じ込める

「1つずつ、簡単に説明するね。最初が原子炉の安全性向上。世界の歴史上、甚大な原子力発電所の事故は3回起こったわ。1つは、1979年の米国ペンシルベニア州スリーマイル島の原子力発電所、次に1986年、ウクライナ（当時はソ連）のチェルノブイリ原子力発電所、そして2011年、福島第一原子力発電所の事故。事故の原因はそれぞれだけど、これらの事故の反省として、原子炉は、どんな自然災害や事故、あるいはテロ行為にあっても、〝運転を止める、燃料を冷やす、放射性物質の外部への放出を閉じ込める〟という動作を確実に行う必要がある、という教訓を得たの。

そのために、日本でも福島の事故後、原子力規制委員会によって原子炉の安全基準は大幅に見直されたわ。あれから10年以上が経って、徐々に停止していた原子炉が再稼働されているけど、それらは、全て新しく定められた厳しい安全基準をクリアしていなければならないわ」

「Safetyは、S＋3Eの筆頭ですから、安全性の確保は最優先ですね」とカイト。

トリセツ② 使用済み燃料に含まれる放射性廃棄物の問題――リサイクルすると放射性物質激減！　でも再処理工場は動いてないし、最終処分地はまだ決

まってない……

「次に、使用済み燃料に含まれる放射性廃棄物について。これもとっても重要な話だけれど、残念ながら、ちゃんと理解している人は少ないの」

3人は、身を乗り出した。

「さっき、ウラン燃料はリサイクルして、また燃料として使えるって話したよね。でも、リサイクルするには再処理が必要で、日本では再処理工場を、青森県六ヶ所村に建設中。けれど、まだ稼働していないの」

「え〜!」3人は、椅子から転げ落ちそうになった。

「六ヶ所再処理工場の建設は1993年に始まって、2006年には試験的に運転された。その時にトラブルが発生して運転試験が停止。2013年に技術的な課題をクリアしたけれど、新しい安全基準に準拠するための対応に時間がかかり、最近ようやく、2024年上期の完成を目指している【*4】、と発表されたところよ」

なんということだろう! 原子力発電が夢のエネルギー、準国産エネルギーであるために不可欠なリサイクルが、まだできていなかったなんて! 3人はひどくがっかりした。

「再処理という工程には、実は、資源の有効利用以外にもメリットがあるの。**再処理によって、後に残る高レベル放射性廃棄物の量を劇的に減らせる**の。再処理しない場合と比べて4分の1【＊5】まで減らせる。さらに有害度を低くすることもできて、高レベル放射性廃棄物から出る放射性物質の有害度が十分に下がるまでの時間を、12分の1【＊6】に短縮できるの」

「え？　どういうこと？」

「高レベル放射性廃棄物の有害の度合いが、**天然ウラン並みまで低減するのに必要とする期間を半減期、**と呼ぶんだけど、その半減期が10万年から8000年に短縮できる【＊7】ってことよ。さっき言った高速炉を使うとさらに半減期が短くなって、10万年が300年で済むと言われているの。次世代炉である高速炉に期待が集まるわけね」

「ということは、**使用済み燃料を再処理してリサイクルし、資源を有効活用することと、放射性物質を減らすことは、ワンセット**なわけですね」

カイトは自分の理解が合っているかを確認した。

「そういうこと。つまり、再処理ができない、ということは、リサイクルもできていないし、放射性物質の量も減らせないということなの」

この事実を知った3人は、原子力発電の難しさを改めて思い知らされた気がした。

「それに、リサイクルして使い終わった使用済み燃料から出る高レベル放射性廃棄物は、最終的に放射性物質が外に出ない状態にして地層350メートル以下に埋める計画【＊8】なんだけど、日本ではこの最終処分場をどこにするか、まだ決まっていないの……」

原子力発電は発電すれば終わり、ではない。その後の、使用済み燃料の再処理、つまりリサイクルによって再度燃料化する、というループを完結させないと、資源の有効活用というメリットが生かせないだけじゃなく、放射性廃棄物がどんどん増えていく、という恐ろしい事態につながる。

最後に残る高レベル放射性廃棄物をどこで処分するかを決めるのは簡単ではなさそうだ。

3人は、原子力反対意見が根強く存在する理由を知ったのだった。

トリセツ③ 核兵器不拡散条約への準拠——原子力の平和的利用のために

「最後に、〝核兵器不拡散条約〟への準拠について説明するわね」

3人はまたもや出てきた、初めて聞く言葉をノートに書き込んだ。

「核兵器不拡散条約（NPT）【＊9】というのは、具体的には、米、露、英、仏、中の5カ国（核兵器国【＊10】）以外の国への核兵器の拡散を防止することと、原子力の平和的利用、つまり発電利用が軍事目的に転用されることを防止するために、この5カ国以外の非核兵器国が、国際原子力機関（IAEA）の査察（見回りチェック）を受ける義務について規定しているの」

「発電に使われている原子力を、戦争のための兵器に転用することは禁じられていて、そのために国際機関が監視しているということね」

「ラミ、その通り。締約国、すなわち条約を結んでいるのは191の国と地域（2021年5月現在）で、締約していない国は、インド、パキスタン、イスラエル、そして南スーダン。日本はもちろん締約国で、IAEAの査察対象となっているわ」

「エナジー、原子力の軍事目的への転用っていうのは、具体的にどういうことなの？」

モコはいつも率直だ。

「うん、説明するね。原子炉の中で、ウラン238が中性子を吸収すると一部がプルトニウム239に変化するって話、したじゃない？　そのプルトニウム【＊11】が厄介なの。プルトニウムは、核爆弾を作る時の原料でもあるの。再処理してリサイクルするループが確立していれば、プルトニウムを発電用の燃料に転換できるんだけど、日本ではそれが確立されていない。もちろん日本はIAEAの査察を受け入れているけど、核燃料サイクルが完結していないということは、使用済み燃料は日本国内のどこかに保管されているってことよね。

どこかっていうと、現時点では、各電力会社の原子力発電所内にある冷却プールに保管されているの。もちろん、日本がそれを軍事目的に転用することはないし、あってはならないんだけど、例えばテロリストがそれらを盗み、核爆弾を作るという可能性を排除しきれない。そういう意味で、国際社会には、日本が使用済み燃料という形でプルトニウムを持ち続けていることを懸念する声もあるわ。そのためにも、1日も早くリサイクルのループを確立する必要があるの」

「ところで、海外でも原子力発電を行っている国は、同様の問題があるんでしょうか?」

カイトは外国では使用済み燃料の処理をどうしているのか知りたかった。

「いい質問ね。原子力を電源構成の主軸としているフランスは、オラノという国策会社、すなわち国が主導して作った会社で使用済み燃料の再処理を行っているわ。実はすでに、日本の使用済み燃料の一部も、フランスでMOX燃料に再処理されているの。フランスは他の国の分まで再処理できる能力を備えているっていうことね。

最終処分のやり方については、さまざまな国で議論されている最中で、一番議論が進んでいるのがフィンランド。オンカロ【＊12】という場所で地層処分場の建設が始まったところ。つまり、まだ世界のどの国も、実際に地層処分するところまではいってないのよ。それほどウランの放射線の寿命に比べて人類の原子力発電の歴史は短いということね。国によっては、使用済み燃料を再処理せずに直接処分を検討している国もあるわ【＊13】」

安全性の問題は想像がついたが、放射性廃棄物の問題や、核の軍事目的転用を禁止するという条約に従うという問題、そして、最終処分については、人類がいまだ到達していないことだったなんて……。これらの事実は、3人の想像をはるかに超えていた。

「そうか、原子力の難しさは、ウランを人類がどう制御するか、に尽きるんですね」

「そういうこと。原子力はいい意味でも悪い意味でも規格外にすごいやつ。ものすごいエネルギーを持ってるし、リサイクルして利用することもできるし、二酸化炭素も出さない。だけど、使用済み燃料をリサイクルするループを完結させないと、放射性廃棄物から出る放射性物質を減らせないし、プルトニウムの軍事目的への転用の可能性も排除しきれない。さらに日本では高レベル放射性廃棄物の最終処分地も決まっていない。

だからこそ次世代の原子力は、こういった負の側面を制御することを前面に押し出したものとなるわけ。つまり、次世代原子力開発のテーマは、サステナブルな原子力発電を実現する、ということなの」

4 サステナブルな次世代原子力発電ってなんだ？

「現在、日本だけじゃなくて、世界のさまざまな国が、これからの原子力の在り方を模索しているわ。例えば、マイクロソフト創業者のビル・ゲイツは、次世代原子力発電の開発を行うテラパワーというベンチャー企業を創設したし、世界一の投資資産を持つと言われるウォーレン・バフェットの投資会社もテラパワーとともに、次世代原子炉の実証プラントを建設すると発表しているわ。最後に、次世代に向けて、原子力の課題を、どのように解決して、サステナブルな原子力を開発しようとしているかについて掘り下げてみよう」

カイトは、化石燃料の発展過程を思い出しながら、**原子力もまた、発展過程の途中なのだ、**そして僕たちはその真っただ中にいるんだ、と思った。モコもラミも、すでに確立された技術だと思っていた原子力に、まだまだ発展の余地があることに驚きを隠せなかった。

革新軽水炉

「実は次世代原子力の種類は複数あるの。一番すぐに実現されそうなのは、**革新軽水炉**と呼ばれるもの」

「あれ、軽水炉は日本も含め今も世界で一番使われている形式【*14】でしたよね」

「そうよ。軽水炉をベースに、地震や津波などの自然災害への対応や、テロ対策といった安全性の向上を追求して作られたのが、この革新軽水炉。すぐに実用化できる安全性が向上した次世代炉、という位置づけで、日本で2030年代に政府が建設を目指すのは、これだろうと予想されているわ」

小型モジュール炉

「次に次世代原子炉としてよく耳にするのが、**小型モジュール炉**（SMR）と呼ばれるもの。従来の大型軽水炉の出力が100万キロワット／時だったのに対して、1基当たりの出力がおよそ30万キロワット／時以下の原子炉のことよ」

「あ、聞いたことがあります。イギリスのロールスロイス社も開発していますよね」

「よく知ってるわね、カイト。そう、ロールスロイスは、2024年には設計がイギリス当局の承認を得られる可能性が高く、2029年までには電力を送電できるとの見通しを示しているわ【*15】」

「小型化の特徴として、安全性が高いとか、建設コストが安く期間も短いっていうことのほかに、何かある？」モコは興味津々だ。

「小型炉は柔軟性が高い。だから、送電網が未発達な地域に、その土地の電力需要に応じた原子炉を設置できて、分散型エネルギーとしても使えるわ」

「じゃ、災害時にも非常用電源として使えるかしら？」ラミも関心を持った。

「そういうことを想定して開発している会社もあるわよ。三菱重工（みつびしじゅうこう）という会社は、炉心サイズが直径1メートル×長さ2メートルで、トラックで運べる大きさの小型原子炉を開発しているわ。離島やへき地の、または災害時の電源として期待されているの【＊16】」

「うわー、ちっちゃい！　是非、実現してほしい」とラミは期待した。

高速炉

「エナジー、さっきの話の中で何度か、高速炉っていうのが出てきましたけど、高速炉ってどういうものですか？」

「**高速炉**はね、次世代原子力の真打（しんうち）！　と言うべき存在よ。軽水炉では、ウラン燃料の中のウラン235に、軽水（普通の水）で速さを落としてノロノロにした中性子を当てて核分裂を起こさせているんだけど、高速炉では、超高速の中性子を使うの。軽水ではなくてナトリウムなどの液体金属を使うことによって中性子の速度を高速に維持できるのね。

　ここでウラン兄弟の235と238を思い出してほしいんだけど、235は核分裂しやすいけど自然界にあんまり存在しなかったわね。じゃ、自然界にたくさんあるけど核分裂しにくいウラン238からエネルギーを取り出すにはどうしたらいいか？を考えたわけ。

そこで、ウラン238に超高速の中性子を当てるとプルトニウム239に変化するっていう特性を使ったの。ウラン238をプルトニウム239に変えて、それに超高速の中性子が当たると、プルトニウム239が核分裂してエネルギーを発すると同時に、また中性子が2〜3個飛び出してくるのよ。

このプロセスを繰り返すことによって、高速炉を使えば半永久的にエネルギーを取り出すことができるの。実はこれが、原子力が準国産エネルギーと言われるゆえん。だから、本来、原子力発電を利用するのであれば、高速炉を目指さなければ、その意義は半減してしまうわ。

さて、ここで燃料リサイクルが再度登場するわ。再処理した燃料を軽水炉で使用すると、プルトニウムが徐々に増えてくる。プルトニウムは燃えにくいので、そのままだと燃料は数回程度しか再利用できないんだけど、高速炉は燃えにくいプルトニウムも燃やすことができるスーパーすごいやつ。おまけに核分裂したプルトニウムから出てくるウラン238は、またプルトニウムに転換されて、核分裂が何度も繰り返されるの。だから資源の有効利用っていう意味では、ホントに真打。さらに、プルトニウムを燃料として使ってしまうので、使用済み燃料に残るプルトニウムを劇的に減らせる、というわけ。

実は高速炉にもいろいろな方式があって、それぞれ開発の段階も異なるので、どれが先に商業化するか、現時点では不明だけれど、さまざまな国で複数の会社が研究開発に取り組んでいるといった状況よ。ロシア、中国、インドが、アメリカ、フランス、カナダ、日本よりも少し進んでいるわ。関心があったら調べてみてね」

高温ガス炉

「もう1つ有望なのが、高温ガス炉と呼ばれるもの。軽水炉から取り出せる熱の温度は300度程度だけれど、**高温ガス炉**は950度程度の熱を取り出すことができるの。さらに発電効率も格段に高い。発電以外にも化学工業等のさまざまな分野で高温の熱を利用することができるのよ」

「ふーん。高温ガス炉は、発電以外にもいろいろ役に立つってこと?」

「そうなの。それだけじゃなくて安全性も高いの。さらに水素製造も可能なのよ【*17】」

「すごいな。水素も輸入に頼らなければならない日本としては、国内で、経済的に水素ができるのはいいですね」とカイト。

核融合発電

「最後に核融合発電について紹介しておくわね。**核融合発電**は、太陽でエネルギーがつくられている仕組みを使った発電と言われているわ。ちょっと難しいけど、水素のような軽い原子核どうしが融合して、ヘリウムのようなもっと重い原子核に変わることを核融合というの。核融合反応が起こる時に、とてつもなく大きなエネルギーが発生するのよ。そのエネルギーを使って発電するのが核融合発電。燃料になる重水素は、海水中のどこにでも豊富にあるから低コスト。その上、化石燃料を燃やさないので二酸化炭素（CO2）は発生しない。ウランの核分裂を利用する原子力発電とちがって、使用済み燃料の問題もない。そんな背景から、にわかに関心を集めているの。

実用化までの道のりは簡単ではないと思うけど、一方で、グーグルや、アマゾン・ドット・コム創業者のジェフ・ベゾス、マイクロソフト創業者のビル・ゲイツも、核融合炉開発に投資している。日本も国家戦略として開発を後押しするという報道【*18】もあった」

「それだけ、世界中が期待しているんですね」

「そうね。研究開発に潤沢な資金が投入されれば、その分、実現が早くなる可能性も高まることは間違いない。将来のどこかの段階で、核融合は世界の電力の一翼を担う存在にはなるだろうけれど、この数十年でそれが起こると考えるのは現実的ではない、という研究者もいるわ【＊19】。でも、未来のことは分からない。突然何かが起こるかもしれないしね」

エナジーはいたずらっぽく、フフフッと笑った。

「原子力の話はやっぱりヘビーだったわね。みんな、よく付き合ってくれたわ！　偉い！　今は理解できなくても、関心を持って見ていけば徐々に分かってくるわよ。でもさすがに疲れたよね。今日はこれぐらいにしよう。じゃ、アディオス、さよなら！」

3人に手を振ると、次の瞬間、画面は真っ暗になった。

今日は、「アスタ　ルエゴ、またね〜」じゃなくて、「アディオス、さよなら」なんだ。なんでだろ？　モコはちょっと気になった。だけど、「ま、いっか」とつぶやき、ラミとカイトに手を振って、パソコンの電源を切った。

【＊1】浜岡原子力館／中部電力株式会社（chuden.co.jp）、浜岡原子力館／御前崎市公式ホームページ（city.omaezaki.shizuoka.jp）
【＊2】原発のコストを考える／原子力／スペシャルコンテンツ／資源エネルギー庁（enecho.meti.go.jp）
【＊3】［再処理事業］再処理事業の概要／概要 ＞ 事業情報／日本原燃株式会社（jnfl.co.jp）
【＊4】2022・12・27 再処理工場の完成24年度上期に　2年先延ばしに「これ以上は」［青森県］：朝日新聞デジタル（asahi.com）

【＊5】「六ヶ所再処理工場」とは何か、そのしくみと安全対策（前編）／スペシャルコンテンツ／資源エネルギー庁 (enecho.meti.go.jp)

【＊6】有害度の低減は、単位発電量当たりの高レベル放射性廃棄物の放射線量が、その発電に必要な天然ウランと同等のレベルまで下がるのに必要な期間

【＊7】「六ヶ所再処理工場」とは何か、そのしくみと安全対策（前編）／スペシャルコンテンツ／資源エネルギー庁 (enecho.meti.go.jp)

【＊8】高レベル放射性廃棄物をガラスで固め、地下深くの安定した岩盤に閉じ込め、人間の生活環境から隔離する方法が最適であると、国際的に考えられている。放射性廃棄物の適切な処分の実現に向けて／スペシャルコンテンツ／資源エネルギー庁 (enecho.meti.go.jp)

【＊9】核兵器不拡散条約（NPT）の概要／外務省 (mofa.go.jp)

【＊10】核兵器不拡散条約 第9条3「この条約の適用上、『核兵器国』とは、1967年1月1日前に核兵器その他の核爆発装置を製造しかつ爆発させた国をいう」

【＊11】プルトニウムは核兵器の材料にもなるため、国際的にも保有量が管理されている

【＊12】2016・6・16 フィンランドの放射性廃棄物最終処分場「オンカロ」AFPBB News

【＊13】諸外国における高レベル放射性廃棄物処分の状況ー諸外国での高レベル放射性廃棄物処分 公益財団法人原子力環境整備促進・資金管理センター (rwmc.or.jp)

【＊14】軽水炉のしくみ／原子力発電／電気事業連合会 (fepc.or.jp)

【＊15】2022・4・19 ロールスロイスの小型モジュール原子炉、英が24年半ばまでに承認へ／ロイター(reuters.com)
【＊16】2022・6・10 直径1mで25年間燃料交換なし、三菱重工の超小型原子炉はどう動く／日経クロステック(xTECH)(nikkei.com)
【＊17】2022・1・5 原発が水素も量産 10年ぶり再稼働の実証炉が秘める力／日本経済新聞(nikkei.com)
【＊18】2023・2・28 核融合発電の実証「早期実現」めざす 政府が初の戦略案／日本経済新聞(nikkei.com)
【＊19】「核融合発電の時代はくるの？」専門家に聞いてみた／ギズモード・ジャパン(gizmodo.jp)

対話7 まとめ

・原子力発電の燃料に使われるウランはエネルギー密度が極めて高く、少量で莫大な発電量が長期間得られる。さらに使用済み燃料をリサイクルし、燃料を有効利用して、より安定的にエネルギーを確保することができる。加えて、発電時に二酸化炭素を排出しないというメリットがある。

・一方で、原子力発電に特有の難しさも存在する。それらは、原子炉の安全性向上、使用済み燃料に含まれる放射性廃棄物の問題、核兵器不拡散条約への準拠だ。

・原子炉の安全性基準は、過去の原子力発電所事故の反省として、どんな自然災害や事故、あるいはテロ行為にあっても、運転を停める、燃料を冷やす、放射性物質の外部への放出を防ぐ、という動作を確実に行える必要がある、という教訓を得て、日本でも大幅に見直された。国内の全ての原子炉はこの基準をクリアする必要がある。

・日本では、再処理工場がいまだ稼働しておらず、燃料リサイクルのループが未完成だ。再処理によって期待されている使用済み燃料に含まれる放射線物質の量ならびに有害度を減らすこともできていない。また最終処分地も決定していない。

・さらに、現在、各電力会社の原子力発電所内の保管用プールにある使用済み燃料は、核爆弾の原料となるプルトニウムを含んでおり、万が一テロリスト等に盗まれれば、軍事目的に転用される恐れが排除しきれない。早期に燃料のリサイクルループを確立し、使用済み燃料を再処理して燃料として再利用できるようにする必要がある。

・次世代原子力の最大のテーマは、これらの難しさを克服し、サステナブルな原子力とすることにある。

・次世代原子力には、革新軽水炉、小型モジュール炉、高速炉、高温ガス炉、核融合発電等、さまざまな種類があり、世界中で開発が進んでいる。

・米国では、ビル・ゲイツ、ウォーレン・バフェット、ジェフ・ベゾス等が次世代原子炉の開発を支援している。

エピローグ

エナジーからのメッセージ。そしてまた旅が始まる

ある夜、エナジーから1通のメールが届いた。メールには、動画サイトへのリンクがついていて、「これ、クリックして!」とだけ書いてあった。

3人は、それぞれの部屋で、その動画を開いてみた。

「オラ~チコス! アセ ウンポコ おーい、みんな、しばらく~! コモ エスタイス? 元気にしてる? 私は相変わらず、この通り元気よ。明日から、また新しい旅に出るための準備をしてるところなの」

いつもなら、次の対話の日時と接続リンクを送ってくれるのに、今日はなんで動画なんだろう? 3人は不安を感じながら、先を見続けた。動画の日付は2日前になっている。ということは、エナジーはすでにどこへとも知れぬ旅に出てしまっているんだろう。

「もう気づいてると思うけど、私、次の旅に出かけることになって、しばらくみんなに会えないの。言おうと思ったんだけど、泣いちゃいそうで言えなかったから、動画を撮ることにしたの。7回の、決して簡単ではない対話に、よくついてきてくれた。そして、その間ずっとみんなはエネルギーに関心を持って、たくさん学んでくれたし、考えてくれた。毎回、みんなの成長が手に取るように感じられて、私もワクワクが止まらなかったよ。どうもありがとう」

エナジーの突然のさよならに、3人は言葉を失った。そりゃ、この対話が一生続くとは思ってなかったけど、こんなに急に終わりがやってくるとも思っていなかった。

「エナジー、私、まだ知りたいこと、たくさんあるわ」ラミは涙声でつぶやいた。

「エナジー、私、もっとエナジーと話したいよ」モコは鼻をすすった。

「エナジー、僕、もっと続けたい。こんなに楽しく学べたのは久しぶりだったんだ」

自分の感情をまっすぐに表に出すことを忘れていたカイトが、素直な気持ちをエナジーにぶつけた。でも、3人の言葉が動画の中のエナジーに届くはずもない。

「モコ、ラミ、カイト。私もみんなと離れるのはとても寂しい。みんなとの対話は最高の時間だった。覚えていて。私はずっとみんなの心の中にいる。それにね、みんなのエネルギーを知る旅は終わっていない。それどころか、今始まったばかりよ。そして、これからもずっとずっと続いていくわ。みんなの身の回りで起こっていること、日本や世界で起こっていることの全てがエネルギーの世界とつながっている。だから、目を凝らして、ちゃんと見ていてね。そしてみんなの生きる未来を作るために、何ができるか考えて、できることから行動するのよ。分かったわね」

どこにいるかも分からないエナジーの両手が、3人をきつく抱きしめるのが感じられるようだった。

モコとラミは、目にいっぱいの涙をごしごしぬぐいながら、再び強い視線で動画の中のエナジーを見つめた。カイトはというと、対話の数々を思い出しながら、僕も暗い部屋を出て前に進みたい、誰かの、社会の役に立ちたい、と感じ始めていた。けれど、どうすればいいのか分からなかった。そんなカイトの迷いを吹き飛ばすように、エナジーの大きな声が響いた。

「ねぇ、100年先が見えたらいいのにって思わない？　そうすれば、日本や世界、そして地球にとって、今やっていることが正解なのか、それとも、やり方を変えた方がいいのか、分かるのに。今のこの1歩が、ちゃんとゴールにつながっていることが分かれば、不安なんてないのに、って。

でも現実はそうじゃない。未来なんて、どうひっくり返っても見えない。だから、私は旅を続けるの。いろんなところに行って、いろんなものを見て、いろんな人に会って話を聞いて、やってみて、失敗して、やり直して、そうやって前に進んでいく。いつも右往左往しているんだけど、その先にしかゴールはないんじゃないかって思うの。うまくいかないことは失敗じゃない。それは、学ぶことの大事なプロセスで、成長の糧だって私は思っているの」

迷ってもいいんだよ、と言ってもらったようで、3人は少し安心した。

「でも、不安や迷いを抱えながら旅を続けるのは、しんどいわよね。だから、一緒に旅をする仲間が必要。仲間と話して、聞いて、考える。そうすることが、次の1歩のヒントになって、自分の旅を続ける勇気になるわ」

3人は、お互いのことを思っていた。モコ、ラミ、カイトという仲間がいたから、エナジーとの旅も続けることができた。時に重たすぎるテーマでも。

モコはエネルギー関連のニュースはかなり理解できるようになり、新しいことや分からないことは、すぐに調べる習慣が身に付いていた。

ラミは、気候変動によってもたらされる災害に対して、自分にできることは何か、と模索し始めていた。

「さぁ、これで私のメッセージはおしまいよ。これからは、みんなの旅を始めてちょうだい。私はずっと、みんなを見守っているから心配なんていらない。じゃ、アディオス！ メロ　パセ　ムイ　ビエン　さよなら、楽しかったわ！」

動画は終わって、後には真っ黒な画面が映っていた。

カイトは、自分の旅を始めよう、始めなくては！　という衝動を抑えきれなくなった。

「僕、こんなことしてる場合じゃないかも」

閉じていた自室のカーテンを端に寄せて、窓を開けると、少し冷たい冬の空気が部屋に流れ込んできて、ベッドの上で寝ていたポアロの背中の毛をフワッとなでていった。目を覚ましたポアロの視線のその先に、エナジーが長い髪をなびかせて、優しく微笑む顔が見えたような気がした。

あとがき

私立の三輪田学園という中高一貫教育の女子校に通っていた頃、到底中高レベルとは思えない高度な知識を与えてくださった2人の先生との出会いがあった。1人は世界史、もう1人は地理の先生。高1の1学期の時は、授業の内容が複雑すぎて難儀したが、2学期に入った頃から、世界史と地理が大好きになった。私には、先生たちのお話が壮大なストーリーに聞こえ始めたのだ。その時、一国の盛衰は、良くも悪くも、その地理的条件に大きな制約を受ける、これは抗えない運命なのだ、ということを知った。

そんなことも、もう忘れかけていた頃、エネルギーの仕事に携わるようになり、中東情勢と日本の関係、欧州の再生可能エネルギー志向、ＬＮＧのグローバル化や、それに伴う輸送海路（世界のチョークポイント等）や世界的な脱炭素の波、そして日本にも上陸した再エネの潮流と原子力の再興をテーマとしたプロジェクトに多く携わった。

その中で、資源貧国の日本のエネルギー政策は、政治、経済、地政学、外交、歴史、科学、技術、金融、国際協力を総動員して考えなければならないことに気づき、改めて2人の先生がお話をされる時の、ある種の切迫感に思いが至った。つまり現在の状況は、日本が第2次世界大戦に突入した頃とそれほど変わっていないのだ。私も今、エネルギーについてさまざまな方々を対象にお話する機会をいただいているが、きっと切迫感満載の話し方をしているに違いない。

2022年2月に、ロシアがウクライナに侵攻した。それまでは脱炭素が歴史的に大きなチャレンジであるとされてきたが、ロシアのウクライナ侵攻により、事態は史上初のグローバルなエネルギー危機へと発展した。そして今、第5次中東戦争の可能性は日に日に高まっている。我が国のGX基本方針は、脱炭素化に向けた次世代エネルギーシステムの構築を主眼としているが、今やそれと同等の、あるいはそれ以上の重要性が、エネルギー安全保障の強化に置かれているとさえ見受けられる。

世界は今、歴史的転換点にきており、ともすれば私たちは、大きな渦に飲み込まれてしまいそうだ。そんな時代を生きるには、羅針盤が必要だ。エネルギーという視点は、時代や社会の動きを見る羅針盤だ。

エネルギーリテラシーが身に付くと、世界のニュースの裏側が見えてくる。

日本人の多くは、日本が資源貧国であると意識していない。どんなに、電力ひっ迫！　節電お願いします！と電力会社が言っても、結局停電しないのだから。しかしその裏で、停電を回避するためにどれだけのオペレーションが行われているか、メディアはほとんど報道しない。だから人々も「日本は大丈夫だ」と思っている。この数年は停電を回避するのもギリギリでやっているにもかかわらず。私たちが直面しているエネルギー問題について、客観的に論理的に、そして科学的に実態を理解することで、世の中の風潮や偏ったメディアの報道に惑わされず、自分の考えを持つことが重要であることを、エナジーにも再三言ってもらったが、最後に私からも念を押したい。

現状を変革する必要があるものの、次世代エネルギーシステムへと社会システムを転換することは簡単ではない。特にエネルギーシステムを形成する社会インフラはおしなべて大規模で、巨大な資金も必要だ。さらには、世間一般の受容に加えて、当事者となる地域住民の理解も不可欠だ。つまり、途方もなく時間がかかるのだ。

ある日、ふと思った。もう私たちの世代がいくら頑張っても、命があるうちに次世代エネルギーシステムの確立は難しいのではないか？　そう思った日から、私は伝道者、すなわち、エバンジェリストにならなければ、と考えるようになった。

私自身がエネルギーの世界に身を置く中で、見てきたもの、学んできたこと、失敗、成功、そして結果として何が起こったのか、そういうことの全てを次世代に伝えておかなくてはと思ったのだ。同じ失敗を繰り返している時間の猶予はもうない。そして長らく身を置いていたコンサルティング会社を退任し、独立した。

独立してはみたものの、セミナーで話したり、寄稿したりするだけでは効果的なエバンジェリスト活動にはならず、「はて、どうしたものか？」と考えていたところに、独立後のブランディングをお願いしていた株式会社一凛堂の代表取締役、稲垣麻由美氏から、本を書いてみないか、とのご提案があった。以前から少しずつ書きためていた原稿をそのままお渡ししたところ、本書の編集者、清水能子氏とお引き合わせいただき、出版の可能性が広がった。夏の終わり頃に初めて清水氏とお会いし、全体感と基本的な設定の打ち合わせをした後、すぐにゼロから書き始めた。コンセプトがはっきりしたストーリー形式の本を書くのは初めてのことで戸惑いもあったが、伝えたい思いがふくらみ、筆が進んだ。エネルギー専門家であるが故に説明不足で一般の方には分かりにくい部分を率直にご指摘いただいたことにも大変感謝している。編集協力を頂いた一凜堂の上條悦子氏、デザイナーの野条友史氏、そしてキャラクターに命を吹き込んでくださったイラストレーターのくにたろ氏のサポートも受け、モコ、ラミ、カイトと同様に、仲間がいて、チームがあって、ここまでたどり着くことができたのだと実感している。

本書は、「13歳からの〜」とうたっているが、エネルギーの専門家ではない全ての学生さんや、お父さん、お母さん、会社員の方、経営者の方にも読んでいただきたいと思う。エネルギー関連の情報は、日々、目まぐるしく変化しているが、基本的な知識が身に付いていれば、理解することは難しくない。今起こっていること、これから起こりうること、そして、望ましい未来を実現するには何をすべきか、と考えている皆様の視界を、少しだけ広げる役に立てれば、これ以上の喜びはない。

2024年1月

関口美奈

本書は２０２４年１月時点の情報にもとづいて執筆しました。

著者略歴

関口美奈（せきぐち みな）

エネルギー・エバンジェリスト。東京都生まれ。大学卒業後、テキサス州立大学アーリントン校大学院にてMBAを取得。アーサーアンダーセン会計事務所ダラス事務所に入所。1997年に帰国。アーサーアンダーセン会計事務所東京事務所（現KPMGあずさ監査法人）にてM&A業務に携わり、エネルギー・インフラ案件を多数手がける。2012年からはKPMGジャパンにてエネルギー・インフラストラクチャーセクター統括責任者。翌年からはアジア・パシフィックのエネルギーセクター統括責任者を兼務。世界と日本の歴史、地理、社会、政治、経済、技術発展や国際関係の多くが、エネルギーをキーワードとして読み解くことができることを学ぶ。2022年に独立。リゾナンシア合同会社を設立。「13歳以上の全ての日本国民のエネルギーリテラシーを上げる！」を目標に、複雑なエネルギーの仕組みについて平易な言葉で伝える講演活動を学校、企業、自治体などで展開。フラメンコ歴18年。毎週のレッスンは欠かさない。予定を決めない一人旅に出て、街をさまよい歩くのが好き。

ブックデザイン：野条友史（BALCOLONY.）

イラスト：くにたろ

図版：長野太正（BALCOLONY.）、中西千晶（BALCOLONY.）

編集協力：稲垣麻由美、上條悦子

編集：清水能子

13歳からのエネルギーを知る旅
2024年2月21日　初版発行

著者　関口美奈
発行者　山下直久
発行　株式会社KADOKAWA
〒102-8177 東京都千代田区富士見2-13-3
電話 0570-002-301（ナビダイヤル）
印刷所　図書印刷株式会社
製本所　図書印刷株式会社

［お問い合わせ］
https://www.kadokawa.co.jp/（「お問い合わせ」へお進みください）
※内容によっては、お答えできない場合があります。
※サポートは日本国内のみとさせていただきます。
※Japanese text only
定価はカバーに表示してあります。

ISBN 978-4-04-683360-0　C0030